JN071970

再発見の
発想法

結城 浩
Hiroshi Yuki

SB Creative

●ホームページのお知らせ

本書に関する最新情報は、以下の URL から入手することができます。

https://www.hyuki.com/discover/

この URL は、著者が個人的に運営しているホームページの一部です。

© 2021　本書の内容は著作権法上の保護を受けております。著者・発行者
の許諾を得ず、無断で複製・複写することは禁じられております。

はじめに

こんにちは、結城浩です。

本書は、**技術用語を通して日常生活に新しい発想を得よう**という読み物です。

技術用語と日常生活

プログラミング技術者は、

部屋が散らかっているから、
そろそろ_{・・・・・・・・・・・・・}ガベージコレクションしなくちゃ。

などと軽口を言います。

ガベージコレクション（garbage collection）はプログラミング技術の専門用語で、使わなくなったメモリを集めて再利用できるようにすることです。つまりこの軽口は、自分の部屋をコンピュータのメモリに見立てて「そろそろ片付けなくちゃ」と言っているのです。こんなふうに、専門用語を日常生活に当てはめることは、プログラミングに限らずどんな分野にもあるでしょう。

本書では、プログラミング、IT、セキュリティなどに出てくる技術的な用語をピックアップし、その意味をやさしく紹介します。さらに、その技術用語を日常生活に当てはめ、類似した概念を探していきます。

　技術用語の背後には技術者の発想があります。本書に登場するものから、いくつか例を挙げましょう。

- 少ないサンプルで大量のデータを把握するため、乱数を使った**ランダムサンプリング**を行います。
- スピードアップする努力が無駄にならないようにするため、まずは**ボトルネック**を見つけます。
- 限られたリソースを活用するため、**トレードオフ**を考えます。
- セキュリティを向上させるため、複数の要素をうまく組み合わせた**二要素認証**を使います。
- 未知の状況にもきちんと対応できるようにするため、教師データに適用しすぎる**過学習**に注意します。
- スムーズな連携プレーを行うため、**デッドロック**が起きない工夫をします。
- 成果物の品質を上げるため、開発者自身がユーザとなる**ドッグフーディング**を行います。
- 壊れたときの危険性を減らすため、**フェールセーフ**の設計をします。

　このような発想をよく理解して味わうなら、ふだん見慣れている日常生活にも新たな光が当たり、思わぬ再発見が生まれ、問題解決に役立つでしょう。

　技術者の発想を味わい、日常生活の再発見を楽しんでいただければ幸いです。

本書の構成

　本書は、プログラミング、IT、セキュリティなどに広く興味を持っている方ならどなたでも楽しめるように書きました。

　発想をとらえやすいようにざっくりと十章に分けてありますが、どのページから読んでくださってもかまいません。

　本書は辞典ではありませんので、簡潔でわかりやすい説明を重視しています。また、本書で紹介する用語は、メディアやSNSなどで見かけるものから興味深いものをピックアップしました。

謝辞

　本書は、技術評論社の月刊誌 Software Design の連載記事「結城浩の『再発見の発想法』」を元に加筆と再編集を行ったものです。連載記事の編集でお世話になっている技術評論社の吉岡高弘氏に感謝します。

　また、本書を編集するにあたり尽力くださったSBクリエイティブ社の野沢喜美男編集長に感謝します。

C O N T E N T S

第1章

あふれる量と戦う

　私たちは毎日のように、あふれる量に立ち向かっています。この章では、どのようにして**あふれる量**と戦うかを考えましょう。

- ●たくさんのデータをすべて調べるにはコストが掛かってしまいます。**ランダムサンプリング**の発想を使えば、低コストで全体を調べることができます。
- ●増加の度合いが指数関数的になっていたら要注意です。すぐに**指数関数的爆発**を引き起こしてしまうからです。
- ●**ブルートフォース**（しらみつぶし）は、あふれる量と戦う素朴な方法です。探索空間を意識し、構造を見出すことによって改善しましょう。
- ●扱うデータが多くても、うまく枝刈りできる構造があるなら、**バックトラック**で高速に目的の解を探すことができます。
- ●データが多くても、冗長性が高い場合には**データ圧縮**が有効です。量に恐れず立ち向かいましょう。

1.1 ランダムサンプリング ──低コストで全体を知る

スープの味見をするときは、鍋のスープをよくかき混ぜて一口飲みます。飲む量はほんの少しなのに、全体の味がどうなっているかを知ることができます。これが**ランダムサンプリング**の発想です。

ランダムサンプリングとは

ランダムサンプリング（random sampling）とは、**多数あるデータの全部を調査できないときに、いくつかをランダムに抜き出して調査すること**です。もともとは統計の用語で、日本語では無作為標本抽出（むさくいひょうほんちゅうしゅつ）といいます。

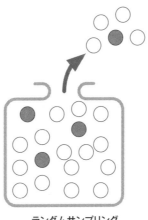

ランダムサンプリング

最も身近なランダムサンプリングは**料理の味見**です。たとえば

スープを作っているとき、味加減が適当かどうかを調べたいとします。鍋に入ったスープをすべて飲めば味は確実にわかりますが、そんなことをしたらスープがなくなってしまいます。そこでスープをよくかき混ぜてから一口だけ味わいます。これがまさにランダムサンプリングです。

世論調査でもランダムサンプリングはよく使われます。どれだけの国民が現在の内閣を支持しているかどうかを調べたいとき、国民全員に聞き取り調査をすれば正確にわかりますが、それはたいへん困難です。国民の数が非常に多いからです。そこでたとえばランダムに電話番号を生成し、その番号に電話を掛けて調査をします。これもランダムサンプリングの例です。

なぜランダムサンプリングを行うのか

どうしてランダムサンプリングを行うのでしょうか。その理由は、**すべてを調査しては無意味**だったり、**すべてを調査するのにコストが掛かりすぎ**たりするからです。

「料理の味見」では、鍋のスープをすべて飲むことは不可能ではありません。でもそれでは食卓に供するスープがなくなってしまいます。だからランダムサンプリングである「味見」を行うのです。

「世論調査」では、国民全員を調査することは困難です。有限の人数ですから不可能とはいえませんが、掛かるコストや時間を考えるとランダムサンプリングを行う方がはるかに良いでしょう。

ランダムサンプリングの注意点

全体を調べることに比べると、ランダムサンプリングは非常に低コストですが、注意点がいくつかあります。

まず、ランダムサンプリングを行う**全体は適切か**という点です。先ほどの世論調査の例ではランダムに電話番号を生成する方法（**RDD 法**、random digit dialing）が一般的です。番号を電話帳からランダムに選択するのではないところが重要です。電話帳から選択

してしまうと、電話帳に番号を掲載していない人は対象外になってしまうからです。

　ただし「ランダムに電話番号を生成する」という方法では、そもそも電話を持っていない人は対象外になる点にも注意する必要があります。極端な例として、RDD法で電話の普及率を調べることはできません。電話を持っていない人は対象外になるからです。

　ランダムサンプリングには**無作為に選択しているか**という注意点もあります。選択の際には調査する人の作為が入り込んではいけません。料理の味見をするときに、ダシがよく出てそうなところをピックアップするのではなく、スープをよくかき混ぜて味見するのはそのためです。

　また、ランダムな数が必要な場合には、サイコロやコンピュータのプログラムなどで機械的に作る必要があります。人間の脳は、ランダムな数列を作り出すことが不得意だからです。

日常生活とランダムサンプリング

　社員の意識調査にランダムサンプリングを生かすことができます。会社の経営者は、自社の状況を常に把握したいと思っています。経営指標として現れるものはさておき、社内の雰囲気や社員のモチベーション、抱えている問題を把握するのは数字として表しにくく調査も難しいでしょう。

　そこでランダムサンプリングが使えます。ランダムに少数の社員を選び、その社員に対してインタビューなどを含めた深い調査を行うのです。社員全員に対して調査を行うとどうしても浅い調査になりますが、ランダムサンプリングによって人数を少なくすると深い調査が可能になります。調査に掛ける全体コスト（期間や予算）が限られているとき、それに応じて人数を調整することも可能です。

　買うべき本を選ぶときにもランダムサンプリングが使えます。たとえば、書店で技術書を買うかどうか判断するとしましょう。とても厚くて高額な本なので買うかどうか迷います。自分の目的に合う

　だろうか、自分で読みこなせるだけの難易度だろうか、自分の知っていることしか書いてなかったら無駄になる……そのように考えますね。

　本のすべてのページを調査できれば確実ですが、それには時間も掛かりますし、そもそも店頭でそんなに立ち読みはできません。そのときにランダムサンプリングが使えます。

　ランダムなページを開き、そのページに書かれていることをじっくりと調べるのです。自分の目的に合うか、易しすぎないか、難しすぎないか……本全体を調べる代わりに、ランダムに選んだページに調査の労力を注ぐのです。

　本の全体像をつかみ、カバーしている範囲を知るためには目次や索引を見るのも良い方法です。しかし、目次を見るだけでは肝心の本文はわかりません。そのためにランダムサンプリングは良い方法です。

本を調査するランダムサンプリング

あなたも、考えてみましょう

　あなたのまわりを見回して、すべてを詳しく調査するのが困難な大量のデータはありませんか。

● 全体からランダムにいくつかのデータを選ぶことはできないでしょうか。
● ランダムに選ぶことで、手間を少なくし、時間を軽減できないでしょうか。
● 得られた少数のデータから全体の様子をつかみ、その後で詳しい調査をすることはできませんか。

　ぜひ、考えてみてください。

1.2　指数関数的爆発 ──ちょっとの違いが大違い

> 指数関数的に増加するものは、油断すると**指数関数的爆発**を起こします。それに対してブルートフォース（しらみつぶし）で対処することは困難です。

指数関数的爆発とは

　指数関数的爆発とは、**あたかも爆発を起こしたかのように急激に数が増加する状況**を表す言葉です。特に、増加の度合いが**指数関数**で表せるものをいいます。

　指数関数は数学用語ですが、指数関数的爆発は数学の世界だけの話題ではありません。現実世界のさまざまな問題に指数関数的爆発は潜んでいます。

　自分が取り扱っている問題の中に指数関数的爆発が現れるかどうかはきわめて重要なポイントです。なぜなら、指数関数的爆発は問題の規模を急激に増加させ、解決が事実上不可能になってしまうことが多いからです。

　逆に、指数関数的爆発を解決手段に結びつけることができるなら、規模が大きな問題を簡単に解決することができるようになります。

「前日の2倍の米粒」を毎日求めたらどうなるか

　指数関数的爆発の典型的な例として有名なのは、豊臣秀吉に仕えた曽呂利新左衛門の米粒のエピソードです。新左衛門は秀吉に対して願い事をしました。最初の日には米粒1粒、1日経ったら倍の2粒、2日経ったら倍の4粒……と、「前日の2倍の米粒」を100日経つまでくれるように願ったのです。

　大した数にはならないと思いがちですが、100日経ったら、

$$2^{100} = 1,267,650,600,228,229,401,496,703,205,376 \text{ 粒}$$

という想像を絶する数の米粒をもらうことになってしまいます！
これは、指数関数的爆発の典型的な例です。

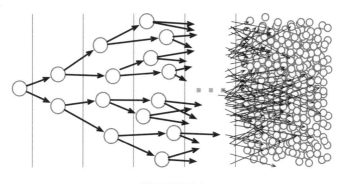

指数関数的爆発

　新左衛門が求めたのは「前日の2倍の米粒」でした。x日経ったときに求める米粒をy粒とすると、yはxの関数となり、

$$y = 2^x \quad (2 \text{ の } x \text{ 乗})$$

と表せることになります。このときの2を底、xを指数といいます。
2^xは「2を底とする指数関数」といいます。
　一般に底を定数aで表すと、$y = a^x$は「aを底とする指数関数」になります。数学では底の値として$a \neq 1$である正の数を用いますが、あえて$a = 1$の場合も含め$x > 0$の範囲で考えると、指数関数a^xは次のような振る舞いをします。

- $a > 1$のとき、a^xは$x > 0$で急激に増加します。
- $a = 1$のとき、a^xは一定の値を保ちます。
- $0 < a < 1$のとき、a^xは$x > 0$でゆるやかに減少します。

ですから、底がどんな値かは指数関数の振る舞いを調べる鍵となります。

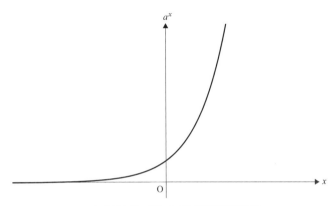

$a > 1$のとき、a^xは$x > 0$で急激に増加する

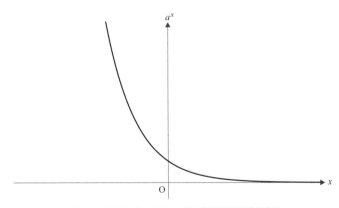

$0 < a < 1$のとき、a^xは$x > 0$でゆるやかに減少する

日常生活と指数関数的爆発

　総当たり的に行う動作テストは指数関数的爆発を引き起こす例の一つです。たとえばソフトウェアの機能として、オン／オフを選べるオプションが N 個あったとします。このとき、オプションのオン／オフが取り得る場合の数は 2^N 通りになります。指数関数が現れましたね。このとき、オン／オフすべてのパターンを総当たり的に動作テストするのは非常に危険です。というのは、オプションの個数が少し増加しただけで、動作テストの個数が爆発的に増加してしまうからです。総当たり的に試すこと、すなわち**ブルートフォース**（しらみつぶし）は、指数関数的爆発には役立たないのです。

　十進位取り記数法は指数関数的爆発を利用した例の一つです。数を表記するときに私たちは十進位取り記数法を使います。たとえば12345 という数は、

$$1 \times 10^4 + 2 \times 10^3 + 3 \times 10^2 + 4 \times 10^1 + 5 \times 10^0$$

と表現できます。表したい数が十倍になったとしても、表記するための桁数は 1 桁増えるだけです。これは、各位が 10^n のように指数関数的に増加する重み付けがなされているからです。

　核分裂の連鎖反応は、指数関数的爆発を引き起こす現象の一つです。たとえば、ウラン 235 が中性子を 1 個吸収すると、分裂して数個の中性子を放出します。放出された中性子が他のウラン 235 に吸収されると、再びそれぞれが分裂してさらに中性子を放出します。1 回の分裂で放出される中性子のうち 1 個だけが次の分裂を引き起こすならば、放出されるエネルギーは一定に保たれます（$a = 1$ のとき）。しかし、1 個より多くなると、放出されるエネルギーは指数関数的に増加することになり、短い時間で制御不可能になります（$a > 1$ のとき）。

　感染症の伝播は、現在全世界が直面している指数関数的爆発で

す。そこでは「感染者1人が感染者を何人生み出すか」が重要な意味を持ちます。話を非常に単純化すると、原理的には、感染者1人が生み出す感染者が1人より多いならば感染症は蔓延（まんえん）していきますが、1人より少ないならば蔓延しません。ソーシャル・ディスタンス（社会的距離）を保つことや、手洗いをすること、マスクをすることなどは、指数関数の底の値をできるだけ小さくする努力といえるでしょう。医療機関を指数関数的に増加させることはできませんので、医療崩壊が起きないよう、一人一人が努力して底の値を小さくする必要があります。がんばりましょう。

あなたも、考えてみましょう

　あなたのまわりを見回して、増えていく困ったものを探してみましょう。

- その増加の度合いは、指数関数的ですか。
- 指数関数的に増加しているものに対して、「しらみつぶし」をしていませんか。
- 指数関数の底を小さくするような対処法はあるでしょうか。

ぜひ、考えてみてください。

1.3 ブルートフォース ——力まかせのしらみつぶし

> たくさんのデータに対処する素朴な方法は**ブルートフォース**です。探索空間を意識して、力まかせのしらみつぶしを改善しましょう。

ブルートフォースとは

ブルートフォース（brute force）とは、**力まかせで解決するアルゴリズムの総称**です。たいていは、**たくさんのデータを端から順番に処理していく方法**、いわゆる「しらみつぶし」を意味します。

英単語の "brute" は「知性ではなく暴力を使う」という形容詞で "force" は「力」ですから、まさに「力まかせ」ですね。

たくさんのデータが並んでいて、目的のデータをその中から探すとしましょう。そのときに、

- 1個目は目的のデータか？
- 2個目は目的のデータか？
- 3個目は目的のデータか？
- ……

と1個1個順番に探していく方法は**リニアサーチ**（linear search）と呼ばれるアルゴリズムです。リニアサーチはブルートフォースなアルゴリズムの一つといえます。このアルゴリズムはわかりやすく、実装も単純ですが、それほど高速ではありません。データを前もってソート（並べ替え）しておいてバイナリサーチを行ったり、木構造やハッシュなどのデータ構造を工夫した方がずっと高速に検索できるでしょう。

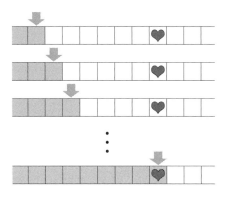

リニアサーチはブルートフォースなアルゴリズム

　力まかせのブルートフォースは高速ではなく、工夫すれば高速になるというのは当たり前ですが、ブルートフォースがどれだけ大変かを調べることで、問題の難しさを表現する場合もあります。たとえば、パスワードの強度や暗号解読の困難さに関して、「ブルートフォースで解読を試みた場合にはこれだけの時間が掛かる」と表現することがあります。単純なブルートフォースを使って、問題の難しさを表現できるのです。

探索空間

　アルゴリズムを「**探索空間の中から目的の解を探索する手法**」と見なした場合、ブルートフォースは探索空間を全探索しようとするアルゴリズムといえます。探索空間のサイズが小さいならばブルートフォースで十分な場合もあるでしょう。しかし、コンピュータが取り扱う問題は探索空間が想像を絶するサイズになることもあります。もしも解が見つかるまでに何万年も掛かるようならば、ブルートフォースは非現実的なアルゴリズムということになります。

　探索空間の中から目的の解を探索する場合に大事なのは、すでに

探索が終わった**探索済み**の空間と、まだ探索していない**未探索**の空間とを明確に区別することです。たとえばリニアサーチの場合には、現在注目している場所が「探索済み」と「未探索」のちょうど境目になっていることになります。

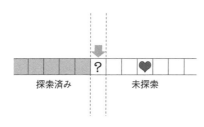

探索済みと未探索の境目

構造の発見

　ブルートフォースで暗号解読を行う場合、すべての鍵の可能性が探索空間になります。これを鍵空間と呼びます。鍵空間をブルートフォースで探索する場合、可能な鍵を順番に生成し、その鍵で暗号文が解読できるかどうかを試し、だめだったら次の鍵へ進みます。通常、暗号解読に失敗しても「この鍵では解読できない」以上の情報は何も得られません。「この鍵Aを調べたために、別の鍵Bが正しい鍵である確率が高まった」ということはないのです。すなわち、強い暗号アルゴリズムの鍵空間には構造が何もないといえます。もしも鍵空間に構造があったなら、そこが暗号の弱点になる可能性があります。

　暗号アルゴリズムに限らず、アルゴリズムにおける工夫とは、扱おうとしているデータが持っている**構造**を見つけ出すことです。データが持っているパターン、冗長性、規則性と呼ばれる構造を見つけ出すことで、効率のよいアルゴリズムが作られます。構造を見つけ出すことで、探索空間を効率よく狭められるからです。逆にい

えば、扱おうとしているデータにどうしても構造が見つけ出せない
ときには、ブルートフォースのアルゴリズムを使わざるを得ないと
いえるでしょう。

トータルの時間

　アルゴリズムは問題解決の一種ですが、人間が「頭を使うか、力
を使うか」という判断も、一つレベルが高い問題解決の一種といえ
ます。

　現実世界のことを考えると、ブルートフォースがいつも悪いとい
うわけではありません。たとえば、効率のよいアルゴリズムが存在
するかどうかわからない場合には、多少遅くてもブルートフォース
なアルゴリズムを使ってとにかく答えを出した方がいいかもしれま
せん。プログラムの開発時間を短くできれば、トータルの時間とし
ては短時間になる可能性もあります。

　探索空間をたくさんの独立な部分空間に分割できるなら、複数の
マシンに分担させることができる可能性もあります。個々のマシン
がブルートフォースな探索を行ったとしても、並列性を高めること
でトータルな時間を短くすることができるからです。

力まかせと運まかせは違う

　ブルートフォースは力まかせといいましたが、まったく知性を
使っていないわけではありません。リニアサーチの場合、「未探索」
の探索空間は少しずつ確実に小さくなります。端から順番に調べて
いくことで「ここまでは探索が済んだ。探索が済んでいないのはここ
以降である」が常に明確になっているからです。時間は掛かるかもし
れませんが、いつまでに解が見つかるかは確実に予測できます。もっ
とも、非現実的なほど長い時間が掛かる可能性はありますけれど。

　たとえば、こんなひどいアルゴリズムを想像してください。たく
さんのデータの中からランダムに一個だけデータを取り出し、それ
が目的のデータかを調べる。違ったらそのデータを戻し、またラン

ダムにデータを取り出す。前回と同じデータを何回も取り出しても気にしない。このようなアルゴリズムでは、いつまでに解が見つかるかという確実な予測はできなくなります（確率的には予測できます）。これは「力まかせ」ではなく「運まかせ」のアルゴリズムになります。

　ちなみに**ボゴソート**（bogosort）と呼ばれるソートのアルゴリズムは、データをシャッフルしては正しくソートされているかを確かめるというもので、上で述べた「運まかせ」のアルゴリズムになります。ボゴソートは、広い探索空間からランダムに解候補を取り出しています。ボゴソートはもちろん現実的なソートアルゴリズムではなく、教育的な目的（およびジョーク目的）で考えられているものです。

　現実世界では、気付かずに「運まかせ」の問題解決を行ってしまうこともありそうです。探索空間のサイズがどれだけあるか考えず、自分が適当に思いついた解を試してみて、だめだったら別の解を探る。やっぱり違うなと思い返して、以前試した解をもう一度やってみる。そもそも目的としている解がどんなものなのか、判定方法を用意していない。そのような問題解決は「運まかせ」であり、「力まかせ」のブルートフォースを愚かとは笑えませんね。

日常生活とブルートフォース

　日常生活では、ブルートフォースな方法をよく見かけます。

　書店で目的の本を探すときに、**本棚を端から順番に探すことはよくあります**。これはブルートフォースな探し方といえます。とはいえ、書店にあるすべての本棚を探すわけではありません。まずは目的の本が含まれているコーナーへ行き、目的の本があると思われる本棚を探します。これは、書店の本棚が持っている構造を利用して、探索空間を狭めていることになります。

　クレジットカード、ポイントカード、病院の診察券といった数多くのカードがごちゃまぜになっている中から目的のカードを探すと

き、トランプのようにカードを束にして**カードを端から順番に探す**こともあります。これもやはりブルートフォースな探し方ですね。

　カードの枚数が多ければブルートフォースで探すのは大変ですが、その束の中に入っているならば、時間を掛けさえすれば確実に見つかります。適当に一枚取り出しては「これかな……違う」と戻し、「こっちかな……違う」と戻してはまずいですね。そんなことをしたら、いつ見つかるか予測もつきませんし、いつまで続けても「ここにはない」と断言できなくなるからです。

　もちろん、カードを普段から整理して分類しておく方がずっといいでしょう。整理して分類しておくというのは、カードの集まりという探索空間に構造を入れて探索しやすくしているといえます。

あなたも、考えてみましょう

　あなたのまわりを見回して、ブルートフォースによる問題解決を行っている状況を探してみましょう。

- その問題に何らかの構造を見つけ出して、ブルートフォース以外の方法を使うことはできないでしょうか。
- 人海戦術を使って、各人はブルートフォースを行うにしても、トータルな時間を短くすることはできないでしょうか。
- 「探索済み」と「未探索」を明確に分けるという発想を適用できる場面はないでしょうか。

　ぜひ、考えてみてください。

1.4 バックトラック
——枝刈りしつつ答えを探す

> たくさんの候補から条件に合うものを探すとき、効果的な枝刈りをしながら**バックトラック**できれば、目的の解をすばやく探すことができます。そのためには、探索空間の構造を知ることが大切です。

バックトラックとは

私たちが何らかの問題を解くとき、

> 起こりうるたくさんの場合から、
> 条件に合った解を探索する

という状況になることはよくあります。この「起こりうるたくさんの場合」のことを探索空間と呼ぶことにしましょう。

探索空間の中を動き回りながら、条件を満たす解を探す途中で、

> これじゃ、最終的な解に行き着けないぞ

と判断したら、そこから深くなる探索はばっさりと切り捨てて別の道を探り始めます。この**探索木の無駄な部分をばっさり切り捨てて別の道を探ることをバックトラック**（backtrack）といいます。

また、バックトラックしながら解を探す、深さ優先探索アルゴリズムをバックトラッキングといいます。

さらに、探索木の無駄な部分（最終的な解に行き着けない部分）を切り捨てることを一般に**枝刈り**といいます。

ブルートフォースとの違い

　探索空間から目的の解を探すための最も単純な方法は「すべての可能性を順に見ていって、条件に合うかどうかを調べる」という**ブルートフォース**（しらみつぶし）です。

　バックトラックも「可能性を見ていく」点ではブルートフォースと同じですが、バックトラックは単純に「すべての可能性を順に見ていく」だけではありません。バックトラックでは探索木として表現された可能性を**枝刈り**しながら見ていくのです。

8クイーン問題

　バックトラックの説明をするとき多くのアルゴリズムの教科書では「8 クイーン問題」が例として挙げられます。

　8クイーン問題とは、8 × 8のチェス盤に8個のクイーンを置き、どのクイーンを見ても、他のクイーンの利き筋にいないという条件を満たせという問題です。チェスのクイーンは縦横斜めのすべてが利き筋になっています。これは将棋でいえば飛車と角の両方の動きができることになりますから、8 × 8のチェス盤に8個のクイーンを置くのはなかなか難しい問題です。

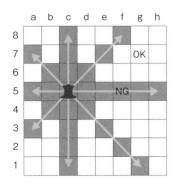

クイーンの利き筋（OK には置けるが、NG には置けない）

　クイーンは飛車の動きができますから、各列（aからhまで）と各行（1から8まで）に対してクイーンは1個ずつしか置けません。ですから、8個のクイーンを置く解を得るために次のような手順が考えられます。

- 1個目のクイーンを、a列のどの行に置くかを決めて、
- 2個目のクイーンを、b列のどの行に置くかを決めて、
- 3個目のクイーンを、c列のどの行に置くかを決めて……

このように、クイーンを1, 2, 3, ……個ずつ置いた部分解を作っていくのです。もちろん、利き筋は互いにぶつかってはいけません。その状況は、**探索木**の中を巡回（traverse）する様子として表現できるでしょう。

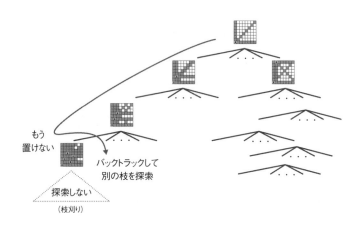

探索木の巡回と、バックトラックでの枝刈り

　a列1行にクイーンを置き、b列3行にクイーンを置き、c列は……と探索木を下に進んでいくと、やがて盤面のどこにも置けなくなります。このとき、さらに深く探索するのは無駄です。そこで

バックトラックを行います。つまり、最後に置くことができたクイーンを別の位置に動かす部分解へと進むのです。

　言葉で説明するとややこしいですが、探索木を想像すれば少しわかりやすくなるでしょう。バックトラックをするときは、探索木の中でクイーンが置けなくなった場所より深い部分木をばっさり切り捨て（枝刈りをして）、別の枝の探索を始めます。

バックトラックには探索木が必要

　ブルートフォースとは異なり、バックトラックでは探索木の枝刈りによって無駄な探索を行わず、効率的な探索を行います。これがバックトラックの大きな特徴です。

　「だったら、ブルートフォースなんかせずに、いつもバックトラックを使えばいいではないか」と考えたくなりますが、そうはいきません。バックトラックを使うためには、「現在のところまでは条件を満たしている」という部分解を作れる必要があるからです。すなわち、探索空間が探索木の構造を持つ必要があるのです。バックトラックを使うためには、さらに「この部分解の先を深く探索しても無駄だ」という判断もできなければなりません。

　たとえば、暗号鍵を解読するために鍵を探索する場合、バックトラックは使えません。なぜなら、たとえば「326421479 番の鍵が駄目だったから 300000000 番台の鍵はすべて駄目」のような枝刈りができないからです。強い暗号アルゴリズムで暗号化された場合、鍵のビット列をすべて順番に試すしかないので、バックトラックは使えません。逆にいうならば、効率的な枝刈りができるような構造を持った暗号アルゴリズムはすぐに解読される弱いアルゴリズムです。

　バックトラックを行うためには、探索空間の構造がわかっていなければならないのです。

　効率的にバックトラックを行うためには、探索空間をどのように設定するかも大切です。特にどのような順で部分解を作っていくかは本質的です。厳しい条件を先に確認すれば、探索すべき空間を

一気に小さくできるからです。

日常生活とバックトラック

　日常生活で私たちは自然にバックトラックを行っています。

　たとえば、入り組んだ路地で目的の**家を探す**ときを考えましょう。一つの道を選んで、ずっと進んで行きます。そして「いや、こんなところまで来るはずはないな、この道の先にはないはずだ」と判断したら後戻りし、別の道を選んで進みます。これは文字通りバックトラックを行っていることになります。ここでも、部分解をどう作っていくかは重要です。「駅より東にあるはず」のような大きな条件を先に確認すれば、探索する空間を一気に小さくできるからです。

　あるいは、数学の**試験問題を解く**ときを考えます。与えられた問題に対していくつかの解法を思いついたとします。式を変形させて知っている問題に帰着させるのか、そのままごりごり計算するのか、あるいは問題の性質を生かして単純化するのか……どの解法を選んだとしても、さらにその先まで進まなければ本当に解けるかどうかはわかりません。最終的な解に行き着くまでの筋道を抽象化して考えると、それは探索木になるでしょう。一つの解法を選び、先に進んだけれど行き詰まったら、そこから先の作業はバッサリ捨てて、バックトラックすることになります。この場合でも、どの順番で試行錯誤を行うかが重要になりますね。

　数独を解く際にもバックトラックを使えます。「このマス目に入りうる数字は4と7と9のどれかだけど、まだどれになるかはわからない。もし4だとしたら……」というのは、数独の探索空間を探索していることにほかなりません。どこかで矛盾が見つかるまで進み、矛盾が見つかったらバックトラックして別の部分解を試すことになります。数独を解くのがうまい人は、条件が最も厳しいもの（すなわち、入りうる可能性が少ないマス目）をすばやく見つけることができるのではないでしょうか。

あなたも、考えてみましょう

　あなたのまわりを見回して、多くの候補から条件に合うものを
求める状況を探してみましょう。

- 部分解を組み立てていくという発想はできるでしょうか。
- 探索空間の構造を調べて、効果的な枝刈りができる探索木は
  作れないでしょうか。
- 探索の順番を変えて効率アップはできないでしょうか。

　ぜひ、考えてみてください。

1.5 データ圧縮
——冗長性を見つけて無駄をなくす

データが持っている冗長性を利用して**データ圧縮**を行えば、無駄な空間をなくすことができます。

データ圧縮とは

データ圧縮（data compression）とは、**データの大きさを小さく変換する処理**の一種です。データ圧縮の技術は、あらゆる場面に使われています。ソフトウェアを配布・インストールするときのファイルは必ずデータ圧縮されていますし、Web ページを見るときに行われている HTTP の通信も多くが gzip という形式でデータ圧縮されています。画像ファイル形式の PNG や JPEG も、音楽データの MP3 も、またビデオを試聴するときに使われる各種コーデックにも、データ圧縮の技術が使われています。

データ圧縮には大きく二種類あります。

- データ圧縮で小さくなったデータを、伸張して完全に復元できる圧縮方法を**可逆圧縮**と呼びます。
- それに対して、データ圧縮時に情報が失われるため、元のデータを完全には復元できない圧縮方法を**不可逆圧縮**と呼びます。

ファイルアーカイバでは可逆圧縮を行います。画像データや音楽データなどの場合には不可逆圧縮を行う場合もあります。

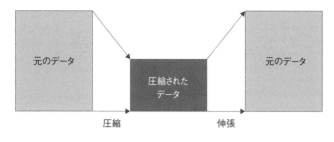

データ圧縮と伸張

　私が最初にデータ圧縮の話を聞いたのは、PKARC や LHARC と呼ばれるファイルアーカイバがデータ圧縮を使ってファイル管理を行っていると知ったときです（1980 年代）。そのとき、ファイルサイズを小さくするなんてことがどうして可能なのかと、非常に驚いたのを記憶しています。ファイルサイズはかっちりと定まっているのだから、変えることなどできないという錯覚に捕らわれていたのでしょう。

　データ圧縮が可能になるのは、多くのデータには<ruby>冗長性<rt>じょうちょうせい</rt></ruby>があるからです。冗長性というのは、統計的な偏りと考えてもいいし、何らかのパターンと考えてもいいでしょう。たとえば、データの中に「A」という文字が 100 個並んでいる部分があったとします。

AAAAAAAAAAAAAAAAAAAA…AAAAAAAAAAAAAAAAAAAA

100 個

そのままでは 100 文字分のメモリを使ってしまいますが、これを、

A100

のような形に変換しておけば、たった 4 文字分のメモリで元のデータを復元するのに十分な情報を保存することができます。このよう

に「同じデータの繰り返し」を「そのデータと長さ」の形で表す方法を、**ランレングス符号**と呼びます。ランレングス符号は、データ圧縮で使われる最も単純な符号化の一つです。

多くのデータ圧縮アルゴリズムでは、もっと手の込んだ方法でデータの中に含まれているパターンを見つけ出し、より登場頻度の高いパターンをより短いビット列に置き換えることで、圧縮効率を高める工夫がなされています。

データ圧縮を行うと記憶容量の節約になり、また通信量を削減できるというメリットがあります。その一方で、圧縮と伸張を行うための時間が掛かってしまうというデメリットもあります。通信速度がとても低い場合、通信量の削減効果が高いため、圧縮と伸張に時間が掛かってもトータルでの処理時間を短くできます。しかし、通信速度に比して圧縮と伸張を行うCPUが非力なときには、データ圧縮による処理時間の短縮効果は低い場合もあります。ですから、どのようなデータ圧縮をいつ行うかについては、圧縮・通信・伸張に掛かる時間の間にトレードオフが存在することになります。

圧縮・通信・伸張

そもそも、データ圧縮が不可能な場合もあります。データ圧縮では冗長性を利用するため、冗長性が低いデータはほとんど圧縮ができないか、むしろ逆にデータが大きくなってしまう場合があるのです。たとえば、データ圧縮後のデータはすでに冗長性が低くなっているので、再圧縮はできません。またランダムなデータは、どんな

データ圧縮アルゴリズムでもサイズを小さくできません。あるいは
また、暗号化されたデータも圧縮することはできません。ですから、
暗号ソフトウェアは必ずデータ圧縮後に暗号化を行います。

　データ圧縮という処理は、データが持っている冗長性を減らすこ
とになりますので、データのわずかなビットにエラーが起きただ
けでも、データ全体に悪影響を起こす場合があります。そのため、
データ圧縮を用いるファイルアーカイバではCRC符号などを別途
付加し、エラー検出ができるようにしてあります。

日常生活とデータ圧縮

　私たちの日常生活でも、データ圧縮はたくさん見られます。たと
えば**指示語**。私たちは、会話の中で直前に出てきたものに言及する
とき、「それは中止しよう」や「こっちよりもあっちの方がいいな」
などと、指示語を使います。それによって、会話のスピードを上げ、
労力を削減しているのです。

　また、会話相手とコンテキストの共有がうまくできている場合に
は、**極端に省略した会話**ができます。「レポート出した？」という
一言で、どの授業の何のレポートであるか、ちゃんと伝わる場面は
学生同士でよくあります。

　浮き輪を片付けるときに空気を抜くのは、物理的な圧縮ですね。
空気を抜くのに手間は掛かりますが、空間の無駄がなくなります。
その代わり、使うときには空気を入れるための時間が掛かります。
データ圧縮で、圧縮と伸張に時間が掛かるのと同じですね。

　ふとん圧縮袋も物理的な圧縮です。ふとんをビニール袋に入れ、
掃除機の吸引力を使って、空気を抜き、押し入れのスペースを有効
活用する便利グッズです。これはふとんの中にある空気という無駄
を抜き取っていることになりますね。

　考えてみると**名前**というものも、データ圧縮に似ています。やや
こしい概念をいちいち文章として表現するのではなく、「名前」と
いう簡潔な数文字で表現するだけで、どれだけ多くの時間が節約さ

れているでしょう。たとえば、現代の私たちは当たり前のように
「メールで送って」や「ネットに公開した」や「クラウドを使えば
いい」という言い回しを使います。もしも、「メール」や「ネット」
や「クラウド」という名前がなかったら、言いたいことを伝えるの
に大変な労力が掛かるに違いありません。プログラミングの世界で
はよく「名前重要」と言われますが、概念に明確な名前を付けるこ
とは、重要な知的作業なのです。

あなたも、考えてみましょう

　あなたのまわりを見回して無駄に大きいもの、無駄に長いも
の、無駄に広いものを探してみましょう。

- それはどのような冗長性を持っているでしょうか。
- データ圧縮のように、冗長性を見つけて無駄を減らすことは
できるでしょうか。
- 無駄を減らすにはどんな手間を掛ければいいでしょうか。

ぜひ、考えてみてください。

第2章

速く、速く、もっと速く!

　この章では、**スピードアップ**を追求しましょう。やみくもにがんばってもスピードアップは望めません。技術者の発想が助けになります。

- ◉スピードアップするには、どこが遅いかを見極める必要があります。すなわち、**ボトルネック**を調べることが大事なのです。
- ◉先を見越して**投機的実行**を行うとスピードアップにつながります。たまに遅くなったとしても、トータルでは速くできるからです。
- ◉人間は待たされることが嫌いですから、**レスポンスタイム**を短くするだけで体感的にスピードアップできるでしょう。
- ◉二つの処理スピードに差があるときには、その差を緩和するために**バッファ**を置くのが有益です。

2.1 ボトルネック
──改善すべきポイントはどこか

> パフォーマンスを改善するときに、やみくもに修正しても効果は上がりません。そのシステムの改善すべきポイントである**ボトルネック**を探しましょう。

ボトルネックとは

ボトルネック（bottleneck）というのは、**システムのパフォーマンスを決定づける場所**の名前です。もともとボトルネックというのは瓶（ボトル）の首（ネック）のことです。水がたくさん入った瓶を傾けて水を瓶の外に出そうとしたとき、瓶の首の太さが水を出すのに掛かる時間を決定づけますね。首が細ければなかなか水は外に流れ出ませんが、首が太ければ水はすぐに外に流れ出ます。水をすぐに外に出したいなら、首が太い瓶を選ぶべきでしょう。

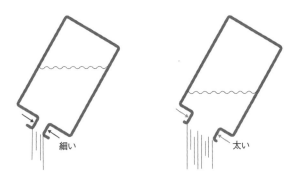

細い　太い

水は、ボトルネック（瓶の首）が太い方がすぐに出る

技術者はよく「このシステムのボトルネックはどこか？」と問い

ます。これは、システムのパフォーマンスを改善したいと思ったら、それを決定づけているポイント、すなわちボトルネックを見つけて、そこを改善するのが良い方法だからです。

プロジェクト管理の**クリティカルパス**や、化学反応の**律速段階**（りっそく）も類似の概念です。

プログラムのボトルネック

たとえば、遅いプログラムを改善してスピードアップしたいとしましょう。その場合「きっとここを直せば速くなるだろう」などと、やみくもにプログラムを書き換えてもスピードアップは見込めません。スピードの計測を行うプロファイラと呼ばれるツールを必ず使い、プログラムを遅くしている箇所を見つけてから修正を始める必要があります。この「プログラムを遅くしている箇所」が、まさにボトルネックです。

ソースコードをただ眺めるだけでボトルネックを見つけることはきわめて困難です。たとえば、ソースコードの中に百万回のループを繰り返している関数があったとしましょう。いかにもこれがプログラムの遅い原因のように見えます。けれども、プログラムの実行中にその関数が一度も呼び出されないなら、そのループを減らす努力をしても意味はありません。逆に、たった三回しかループしないとしても、その三回がすべて時間の掛かる遅い処理を伴っていたら、ボトルネックになることもあるでしょう。

もっとも、多数回呼び出される関数がボトルネックになりやすいのは事実です。特に、多数回のループの中から呼び出される関数の中にさらにループがあると、掛かる時間は倍増するので、ボトルネックを生み出しやすいものです。このような多数回のループはプロファイラで見つけることは難しくありません。

難しいのは、**ボトルネックの解消**です。すなわち、パフォーマンスを低下させているボトルネックを特定した後、それをなくすためにどうすればいいかという問題です。ループの中で実行している処

理をできるだけループの外に追い出すのが基本的な技法でしょう。
実行した結果を保存して再利用するのもよく使われる改善方法です。

　アルゴリズムを改善するのはパフォーマンス向上のために有効な
方法です。アルゴリズムを改善することで、ループの回数が圧倒的
に減ったり、見つかったボトルネックがなくなったりすることもあ
ります。

　セキュリティに関わる部分がボトルネックになることはよくあり
ます。セキュリティというものの性質上、システムの「すべての情
報」や「すべてのアクション」がそこを流れることが多いからです。
パフォーマンスを上げることと、セキュリティを守ることがしばし
ば**トレードオフ**の関係にあるのも理解できます。

日常生活とボトルネック

　さて、私たちの生活でもボトルネックはよく見かけます。

　家族が多い家庭では、**朝のトイレや洗面所**がボトルネックになる
ことがあります。登校・通勤前の忙しいときに家族のみんながそこ
を使うためです。

　道が狭くなっている箇所で、交通渋滞が起きることがよくありま
す。これは絵に描いたようなボトルネックですね。いつもは問題が
ないところでも、交通事故や道路工事のために一時的にボトルネッ
クになってしまうことがあります。

　複数人で作業を進めるときにはボトルネックがどこにあるのかを
見つけるのは非常に重要です。なぜなら、みんながいくらがんばっ
て作業を進めても、ボトルネックが改善されないと全体のパフォー
マンスは高くならないからです。逆にいえば、ボトルネックさえ改
善していれば、あまりがんばらなくても良い結果を生む場合がある
ということです。

　会社では**上司の承認**がよくボトルネックになります。作業を進め
た結果をリリースしたり、外部に発表したりする際に、事前に「上
司の承認」を必ず取る必要がある。しかし上司は忙しくてなかなか

承認が取れない。そのために何日もロスしてしまう──これはいかにもありそうなことですね。

　この場合のボトルネックは、社内の承認フローを改善すること、あるいは上司の権限の一部を部下に委譲することなどで改善できます。いずれにせよ、やみくもにがんばって作業をするのではなく、システム全体のボトルネックを見つけて改善することが大きな効果を生むでしょう。

　ただし、この場合も、ボトルネックを解消しようとするあまり、上司のチェックがうまく効かなくなってしまう危険性があります。スピードを改善するか、上司のチェックがうまく効くようにするか。これもまたトレードオフの関係になります。

あなたも、考えてみましょう

　あなたのまわりを見回して、もっとパフォーマンスを改善したいシステムはありますか。

- そのシステムのボトルネックはどこにあるでしょう。
- ボトルネックを見つけるにはどうしたらいいでしょう。
- そのボトルネックを解消することで、逆に問題は起きないでしょうか。

　ぜひ、考えてみてください。

2.2　投機的実行
――無駄を恐れず予測して実行する

> 　コンピュータは人間とは異なり、無駄なことを実行しないという印象があります。ところが**投機的実行**と呼ばれる最適化技術では、無駄になるかもしれない処理をあえて実行することで、スピードアップをはかります。

投機的実行とは

　投機的実行（speculative execution）とは、コンピュータのスピードを最適化する技法の一つで、**無駄になるかもしれないが実行することになりそうな処理を予測して実行する技法**です。

　無駄になるかもしれない処理を実行するのが最適化なんて、ちょっと不思議です。でも「投機的」という名前から想像できるように「もしかしたら無駄かもしれないが、うまく当たればスピードアップできるはずだ」という予測を使った最適化なのです。

　投機的実行の典型的な例として、**分岐予測**で説明しましょう。コンピュータの CPU は、メモリから命令を順番に読み込んでは実行します。この読み込みのことをフェッチ（fetch）といいます。しかし、命令の実行が終わってから次の命令をフェッチしては遅くなるので並列処理を行います。すなわち、CPU が実行するのと同時に、次の命令を前もってフェッチしておくのです。

　ここで問題となるのが、計算結果に応じて処理が分岐する条件ジャンプ命令です。たとえば計算結果が 0 ならば直後にある命令を実行するけれど、1 ならばジャンプして別のところにある命令を実行するとしましょう。この場合、計算結果が得られるまでは次に実行する命令が何かを判断できませんので、前もってフェッチすることはできません。かといって、計算結果を得てから次の命令を

フェッチしていてはプログラムのスピードアップになりません。そこで、投機的実行の出番になります。

投機的実行では、分岐が行われるか否かを予測し、予測した箇所にある命令をフェッチします。予測が当たれば問題ありませんが、予測が外れればそのフェッチは無駄になります。これが「無駄になるかもしれないが実行することになりそうな処理を予測して実行する」という意味です。分岐予測における投機的実行とは「ジャンプ先を予測して命令をフェッチすること」を意味します。

投機的実行は次に実行する命令を予測しながら処理を進める最適化なのです。

投機的実行の例

投機的実行はコンピュータのさまざまな場面で使われています。いくつか例を挙げましょう。

上で挙げた**分岐予測**は投機的実行の典型的な例です。プログラムの分岐でどちらに進むかを予測して、そちらの命令をフェッチする処理です。当然ながら、予測が正確なら高速に処理が進みますが、予測を外してしまうとスピードアップになりません。

プログラムでは同じ処理を繰り返して実行するループ処理がたくさんあります。たとえば、同じ計算を1万回繰り返すループ処理では、回数を数えるカウンタが10000になるかどうかを調べ、カウンタが0〜9999の間はループを繰り返す側に分岐し、10000になったときだけループを終了する側に分岐します。

当然ながら、ループを繰り返す側に分岐する回数の方が圧倒的に多いので、そちらの命令をフェッチした方が高速になります。つまり、ループを繰り返す側がどちらなのかを見分けることが分岐予測の鍵になります。予測が成功したか失敗したかの知識を蓄えておき、次回の予測分岐の判断に生かすという技術が用いられることもあります。

データをディスクから読み込む際の**バッファリング**も投機的実行

と考えることができます。プログラムがディスクから1バイトずつ
データを読むときに、毎回実際にアクセスしては時間が掛かりすぎ
ます。ですから、ある程度の大きさを持つ領域（バッファ）をメモ
リ上に確保しておき、そこにまとめて読み込むことで、読み込み回
数を減らそうというのです。これは、データへのアクセスが局所性
を持っている（アクセスしたデータの近くに次回もアクセスする）
という予測を高速化のために使っています。もしかしたらそんなに
たくさん読むことはないかもしれないので、まとめて読むことが無
駄になるかもしれません。しかし、あえてまとめて読むという投機
的実行によって高速化をねらっているのです。

　ストリーミングデータの先の方で**動画プレイヤーが先読みする**
ことも投機的実行の一種です。動画プレイヤーは、ユーザが動画を
時間順に見るだろうという予測を立て、現時点の直後にあるデータ
を前もって読んでいます。ユーザが次の瞬間スライダーをグイッと
動かしたら、先読みは無駄な処理となるわけですが、その可能性は
少ないと予測して投機的実行をしているのです。

　Web ブラウザがリンク先のページを先読みするというのも投機
的実行の一種です。ユーザが現在のページを眺めているうちに、裏
で読み込んでおくという最適化です。この場合でも、ユーザがリン
クをクリックしなければ処理は無駄になりますが、クリックしたと
きには驚くほど高速に次のページが表示されることになります。

Spectre 脆弱性

　2018 年の初めに「Meltdown と Spectre」という大きな脆 弱 性が
話題になりました。この二つの脆弱性のうち Spectre はまさに投機
的実行に関連した脆弱性になります。Spectre は、CPU が予測分
岐を行うときに、分岐するかしないかの判断を誤らせます。それに
よって、たとえば配列外にアクセスすることを防ぐためのチェック
を回避してしまうのです。Meltdown and Spectre のサイト[1]で例示

　＊1　https://spectreattack.com

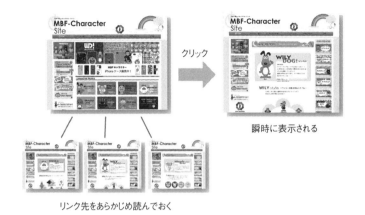

クリック

瞬時に表示される

リンク先をあらかじめ読んでおく

投機的実行（Webページの先読み）

するコードを含んだPDFが公開されています。Spectreの名前は投機的実行（Speculative Execution）に由来します。

日常生活と投機的実行

実は、私たちの日常生活には投機的実行がたくさんあります。

たとえば、私たちは**天気予報で傘を持っていくかどうかを判断**します。雨が降りそうなら傘を持っていくし、降りそうもないなら傘は置いていきます。このように予測すれば、雨に濡れずしかも軽い荷物で移動できるというメリットがあります。予測が失敗したら出先でビニール傘を買う羽目になり、失敗が多ければ、家の傘立てがビニール傘であふれることになります。

また私たちは、会議に臨むときに**質問されそうな項目には前もって回答を準備しておく**ものです。質問されてからもたもた調べていたら時間が掛かりますが、前もって調べておけばスピーディに回答ができます。これも投機的実行の一種といえるでしょう。予測に失敗したら、回答の準備に掛けた時間が無駄になるわけです。

あなたも、考えてみましょう

あなたのまわりを見回して、未来の状況が変化する処理を探してみましょう。

● 無駄になるかもしれない処理を思い切って実行する価値はあるでしょうか。
● 無駄になることを恐れて、実行開始が遅れたら、どのくらい困ったことが起きるでしょうか。
● 投機的実行を意識して全体のパフォーマンスを上げることはできないでしょうか。そのために必要な予測は何でしょう。

ぜひ、考えてみてください。

2.3 レスポンスタイム ──待たせずに応答する

> 問い合わせたときに応答がすぐに返ってくるならば、最終結果が出るまでのスピードが多少遅くても、人は我慢できます。すなわち、**レスポンスタイム**が重要になるのです。

レスポンスタイムとは

レスポンスタイム（response time）とは、**入力が与えられてから出力が得られるまでの時間**のことです。日本語では「応答時間」と呼びます。

たとえば、ブラウザでリンクをクリックして、Webページを表示する例を考えます。この場合はクリックが入力で、Webページの表示が出力になります。クリックしてからWebページが表示されるまでの時間が長いと（すなわちレスポンスタイムが大きいと）、私たちは「重いなあ」と感じていらいらするでしょう。レスポンスタイムはシステムの使いやすさに大きく影響を与えるのです。

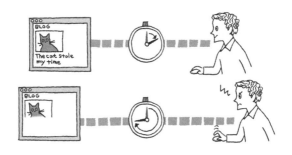

Webページ表示までのレスポンスタイム

　Webページの表示に限りません。Webサービス全般であれ、スタンドアローンのアプリケーションであれ、あるいは物理的な機器であれ、多くのシステムは入力と出力があります。どんなものでもレスポンスタイムという指標は関わってくることになります。

　「リンクをクリックしてWebページを表示するシステム」と大ざっぱにいいましたが、そこには無数の構成要素が含まれているはずです。自分が使っているコンピュータやスマートフォン、ルータなどのネットワーク構成機器、サーバ側のコンピュータなど、いちいち書き上げることはできないほどです。クリックしてからWebページを表示するまでのレスポンスタイムは、そのような無数の構成要素が消費しているレスポンスタイムの総計によってできているわけです。ですから、構成要素の一部だけをスピードアップしてもレスポンスタイムは短くならないかもしれません。いったいどこに**ボトルネック**があるのかを調べる必要があります。

　レスポンスタイムといえば、ディズニー映画『ズートピア』に出てくるナマケモノ（動物）の職員を思い出します。免許センターで働いている彼はユーザの問い合わせに答える仕事をしていますが、すべてをスローペースで行います（何しろナマケモノですから）。たとえ職員が使っているコンピュータが高速であっても、受け付ける職員のスピードが遅ければ、結果を得るまでのレスポンスタイムは大きくなってしまいます。

システムの改善

　レスポンスタイムが使い勝手に大きな影響を与えるのは、人間は「待たされる」ことが嫌いだからです。しかし、よく考えてみると、少しの工夫で使いやすさは大きく変わることがわかります。

　たとえば、Webページが表示されるまでを顕微鏡的に見てみましょう。リンクをクリックすると、リンクの色が一瞬変わり、クリックできたことがわかります。そしてブラウザのプログレスバーが変化していき、ようやくWebページが表示されます。プログレ

スバーが進んでいる間は目的の Web ページはまだ表示されていません。でも、私たちは「クリックはすでに済んだ、もう少ししたらWeb ページが表示されるんだろう」という気持ちで待つことができます。

もしも、クリックされたあと何の反応もなく、プログレスバーも存在せず、Web ページの表示準備がぜんぶ整ってからパッと画面が変わったらどうでしょう。クリックしても反応がないと「いまちゃんとクリックできたのかな？」と不安になり、何度もクリックしてしまうかもしれません。それは恐ろしく使いにくいシステムになるでしょうね。

筆者は以前、まさにそのような使いにくいシステムを作ってしまったことがあります。すなわち、ユーザがボタンを押しても、すべての計算結果が出るまで何の反応も返さないプログラムです。当然ながら、たいへん不評でした。「スピードが遅い」というユーザからの苦情を受け、計算スピードを上げる改善を試みましたが、それは誤った判断でした。単純に「ボタンが押された」という反応を早く返せばよかったのです。

レスポンスタイムを小さくするためには、システム全体のスピードを改善するのではなく、システムをその構成要素に分解し、ユーザの満足度を向上させる要素を改善するのが大切なのですね。

日常生活とレスポンスタイム

私たちは日常生活の中で多くのシステムを使いますし、自分自身も社会のシステムの一部として機能しています。ですからレスポンスタイムは日常生活に深い関わりを持っています。

映画『ズートピア』のように、**受付の反応が遅い窓口**でいらいらした経験は誰にもあるでしょう。その意味ではいくつかの銀行で採用している**順番が書かれた整理券**を配布するのは正しい方法ですね。整理券自体をもらうのはすぐにできる（レスポンスタイムが小さい）からですし、呼ばれる番号がプログレスバーの役目を果たし、

いまかいまかと待つ気持ちが小さくなるからです。

整理券はプログレスバー

　病院などでは、**ネットで順番を予約できるシステム**もあります。Web で整理番号を取得し、自分の診察時間を Web でチェックすることができるシステムもあります。その時間が来るまでは自由に過ごせるので、待たされている感覚を大きく減らす効果があるでしょう。

　会社で、社員 A が社員 B の席に行って「○○って何でしょうか」と質問したとします。もしも質問された社員 B が無言でコンピュータに向かい、キーをたたき出したらどうでしょう。きっと社員 A は困惑するでしょう。自分の質問がきちんと伝わったか不安になりますし、そもそもコンピュータに向かって何をしているかわからないからです。○○について調べてくれているのかな？

　でも社員 B が一言「○○なら、詳しく書かれている Web ページがありますよ。一、二分で見つかりますからちょっと待ってください」と言ってから作業にかかってくれるなら、質問した社員 A も安心するでしょう。「最終的な情報を得るまでのレスポンスタイム」

が多少大きくなったとしても、「質問を受理したことを伝えるまでのレスポンスタイム」を短くした方が、共同作業はずっとスムーズに進むでしょうね。

あなたも、考えてみましょう

あなたのまわりを見回して、スピードアップしたいものを探してみましょう。

- そのシステムを細かい構成要素に分け、レスポンスタイムを小さくすることはできないでしょうか。
- また、誰かと共同作業をするときに、あなたはレスポンスタイムを意識しているでしょうか。

ぜひ、考えてみてください。

2.4 バッファ
──処理スピード差を和らげる領域

> 病院には待合室があります。病院に行ってもすぐに診察してもらえるとは限りません。たいていは、待合室で自分の番を待つことになります。混んでいれば長く待たされますし、空いていればすぐに診察されるでしょう。つまり、待合室は患者の到着スピードと医者の診療スピードの差を和らげるための領域、すなわち**バッファ**になっているのです。

バッファとは

バッファ（buffer）とは、**複数プロセスの処理スピード差を和らげるためにある領域**のことです。

二つのプロセスとバッファの関係は、以下の模式図で表せます。

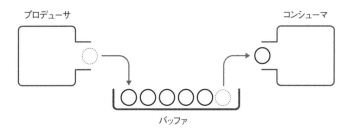

プロセスとバッファの関係

左のプロデューサ（生産者）がデータを生産し、右のコンシューマ（消費者）がデータを消費します。プロデューサとコンシューマという二つのプロセスの間にあるのがバッファです。このバッファは、データ構造としてはキュー（queue）と呼ばれます。生産スピー

ドが消費スピードよりも速いときにはバッファ中に貯まるデータは多くなります。逆に、生産スピードが消費スピードよりも遅いときには、バッファ中に貯まるデータは少なくなります。

バッファは、二つのプロセスの処理スピードを和らげるもの、すなわち緩和するものです。バッファというと頭痛薬の「バファリン」を思い出しますが、あれは「緩和する（buffer）」という英単語を元にして作られた名前だそうです。

バッファを理解するには、バッファがない場合に起きることを考えればいいでしょう。もしも病院の待合室がなかったら、患者は診察時刻ジャストに来院しなければなりません。早く来すぎたら（待合室がないので）いちど帰宅しなければなりませんし、遅く来たら今度は医者の方が待たされて時間の無駄が生じます。

病院の待合室がバッファの役割を果たすので、患者が到着する時刻がばらついても、診察にかかる時間が変化しても、患者・医者双方の負担や無駄を減らせます。つまり、バッファは二つのプロセスの処理スピードにバラツキがあっても無駄を防ぐ効果があるのです。

バッファのエラー

バッファも万能ではありません。医者が診察できる人数を超えて患者数が多くなると、待合室があふれてしまうでしょう。いわゆるバッファの**オーバーフロー**です。オーバーフローが起きないようにするためには、バッファの大きさを十分大きくしておくか、プロデューサ側を一時停止する措置が必要になりますね。

コンピュータにおけるバッファ

コンピュータではあらゆる箇所にバッファが存在します。最も典型的なのは**プリンタのバッファ**でしょう。プリンタのバッファは、コンピュータの処理スピードとプリンタの印字スピード差を緩和するものです。プリンタに限らず、マウスやキーボード、ネットワークなど、多くのデバイスに対してバッファが存在します。

コンピュータグラフィクスの分野には**ダブルバッファリング**という技法があります。これは描画する画像を作り出す描画プロセス（プロデューサ）と、表示プロセス（コンシューマ）のスピード差を緩和し「ちらつき」を防ぐ方法です。ダブルバッファリングでは、描画するデータを保持するバッファを二つ用意します。一つは描画プロセスの書き込み用で、もう一つは表示プロセスの読み出し用です。描画プロセスが一画面分を描いたタイミングで二つのバッファをカチッと交換します。これで、画面のちらつきを防げるのです。

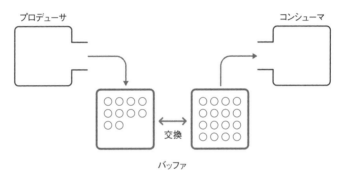

ダブルバッファリング

日常生活とバッファ

「複数プロセスの処理スピード差を和らげるもの」という視点を手に入れると、日常生活のあちこちでバッファが見つかります。

たとえば、**財布**もバッファです。お金が必要なときに毎回銀行から預金をおろしていたら手間がたいへんです。いったん銀行から財布にお金を移し、細かい支払は財布から行うのです。処理スピード差を和らげると共に、処理コスト（手間）の差異を和らげています。

蓄積が価値を生む

　さて、バッファは複数プロセスの処理スピード差を和らげますが、途中にある蓄積が価値を生む場合があります。処理スピード差が作る時間差が価値を生み出すのです。

　プリペイドカードを考えてみましょう。ショッピング用であれ国際電話用であれ、プリペイドカードは、利用者が運営者にお金を支払ってから、その支払に相当する金額を使用するまでに時間差があります（支払→使用の順）。一人一人の額はたいしたことがありませんが、多数の利用者がいれば、運営者に多額のお金がバッファされるでしょう。運営者はそのお金を時間差のゆるす限り運用できます。

　クレジットカードでは、使用→支払の順になります。これはプリペイドカードの支払→使用の順とは逆です。クレジットカードでは、支払日まで支払の遅延ができ、支払日になったらバッファされていた支払が一気に引き落とされます。クレジットカードは、購買スピードと入金スピードの差異を緩和させるバッファです。

　と考えると、クレジットカードの**限度額オーバー**は、バッファのオーバーフローであるとわかります。購買スピードが入金スピードをオーバーしたエラーということです。このエラーを避けるには、クレジットカードの信用限度額を増やす（バッファサイズを大きくする）か、購買を抑える（プロデューサ側を一時停止する）ことが必要です。

あなたも、考えてみましょう

　あなたのまわりを見回してバッファの役目をしているものを探してみましょう。

● そのバッファはどんなプロセスの処理スピード差を和らげていますか。

●またそこで何らかの価値が生まれてはいないでしょうか。

ぜひ、考えてみてください。

第3章
再利用のために

この章では、技術者が重視する**再利用**について考えます。技術者が再利用を重視するのは、同じことを何度も繰り返すような無駄を省くためです。

- ◉誰かが作成し、再利用できるよう整備してくれた**ライブラリ**を使って、自分の作業を楽にしましょう。
- ◉あるサービスから別のサービスに移るときには、データが再利用性を保ったまま**エクスポート／インポート**できることが重要です。さもないとサービスに囲い込まれてしまいますから。
- ◉毎回同じことを繰り返しているぞと気付いたら、**テンプレート化**を検討しましょう。大きな労力削減につながります。

3.1 ライブラリ
──既存の成果物を再利用する

> すでに誰かが作成し、再利用できるようにうまく整備してく
> れた**ライブラリ**を使うなら、自分が作りたいものを作りやすく
> なります。また、自分が作ったものをライブラリとして他人が
> 使えるように整備しましょう。

ライブラリとは

　ライブラリ（library）とは、**単独では動作せず、他のプログラム
から利用されるプログラムの総称**です。数学関数を集めたライブラ
リ、多倍長演算を行うライブラリ、暗号やセキュリティに関する関
数を集めたライブラリなど、用途に応じた多種多様なライブラリが
開発されています。

　プログラマがアプリ開発を進めるとき、使いたい機能がライブラ
リとして使えるなら開発の手間は大きく軽減されます。ライブラリ
はプログラミング言語ごとに開発・提供されるので、使おうとする
プログラミング言語にどんなライブラリが存在するかは重要な情報
になります。良いライブラリが充実していれば開発は楽になります。

　もともと、ライブラリは「図書館」という意味で、"library" と
いう英単語はラテン語の "liber"（本）から派生したものです。調べ
物をする人が図書館にある本をうまく利用するのと同じように、ア
プリ開発をするプログラマは、ライブラリをうまく利用して必要な
機能を実装するのです。

　"library" という英単語には「書庫」という意味もあります。書
庫という意味では、アーカイブ（archive）という言葉もあり、こち
らは作ったものを長期的に保存しておくニュアンスが強い言葉です。

ライブラリが用意されていることのメリット

　ライブラリを使う大きなメリットは、プログラマがいちいち自分でプログラミングしなくても、ライブラリで提供されている関数やクラスを利用できる点にあります。

　たとえば、ゲームのアプリを作ろうとして sin や cos の計算が必要になったとします。もしも三角関数ライブラリを使わなければ、プログラマは自分で sin や cos を計算するコードを書かなければなりません。これでは、本来やりたいゲーム開発になかなか取りかかれませんね。

　ライブラリは必要な関数やクラスがすでに用意されているからこそ便利なのです。それは、図書館に行けば必要な本がすでに揃っていてすぐに利用できる状況とよく似ています。

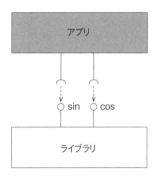

アプリはライブラリを利用する

　ところで、図書館で調べ物をする場合「必要な本をすばやく見つけることができるか」は大切ですね。そのためには書籍を検索するシステムや、配架の整理が必要でしょう。アプリが利用するライブラリも同様に、ライブラリの開発者がしっかりと関数やクラスを設計し、ドキュメントやサンプルが準備されていることが大事になり

ます。つまり、必要な関数やクラスが揃っているだけではなく、アプリのプログラマが使いやすい状態に整備されている必要があるのです。

アプリとライブラリが分割されているメリット

アプリの開発が楽になることだけがライブラリを使うメリットではありません。トラブルが発生したときにはアプリとライブラリが分割されていることが重要な意味を持ちます。それは、発生したトラブルがアプリとライブラリのどちらに起因しているのかを調べて、トラブルの原因を切り分けることができるからです。

また、実行環境ごとに異なるライブラリを用意し、それを切り換えるようにすれば、アプリの修正をほとんど行わずに複数の環境に対応できるプログラムが作れます。アプリとライブラリとが分離していればテストも容易になるでしょう。

アプリとライブラリが分離していれば、ライブラリはアプリとは独立に性能アップに取り組むこともできます。汎用性の高いライブラリは、たくさんのアプリから利用されますから、一つのライブラリの性能を上げるだけで、たくさんのアプリの性能がアップすることになります。これはいいことですね。アプリとライブラリが分離しているからこそ、ライブラリをうまく共有できるのです。

日常生活とライブラリ

プログラミングのライブラリが持つ発想法を日常生活に生かせるでしょうか。ライブラリはもともと、私たちの図書館から借りてきたメタファーです。しかし、図書館以外にもライブラリの発想を生かせる場合がたくさんありそうです。

たとえば、何かを作るとき、「自分ですべてを作ろう」とするのではなく、「すでに世の中に存在するものを利用できないか」と考えるのは大事です。さらに「そもそも、自分がいまから作ろうとしているものは、過去に誰か似たものを作っているのではないか」と

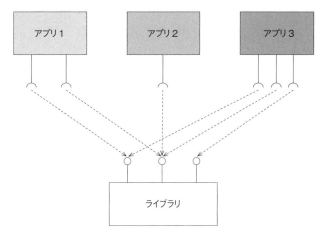

汎用性の高いライブラリは複数のアプリから共有される

いう発想も重要でしょう。これは、アプリ開発でライブラリを利用することに相当します。

　もっというなら「**自分が作り上げたものを他の人に利用してもらえないか**」という発想もありますね。これは、ライブラリを開発するプログラマの発想です。その際には、他の人が利用しやすくするために整備することも必要でしょう。

　考えてみると、世界中の人々をつないでいる現代のインターネットは、「他人の成果物を利用する」あるいは「自分の成果物を他人に利用してもらう」ことを実現できる基盤といえます。

　プログラミングの分野では、インターネットの力を生かしてプログラマ同士が成果物を共有し合っています。それ以外の分野でも同じように、成果物をうまく共有できたらいいですね。

あなたも、考えてみましょう

あなたが何かを作るときの状況を考えてみてください。

● すべてを自分で作ろうとしていませんか。再利用できるもの
は世の中にないでしょうか。
● あなたが作った成果物を他人に利用してもらうことはできま
せんか。
● また、作った成果物を他人が利用しやすいように整備してい
ますか。

ぜひ、考えてみてください。

3.2 エクスポート/インポート
――再利用性を保ったデータの移行

> あるサービスから別のサービスに移るとき、データを移行したいのは当然の要望です。その際に**エクスポート**と**インポート**の機能が必要になります。さもないと一つのサービスに「囲い込み」されてしまうからです。

エクスポート／インポートとは

エクスポート／インポートとは、ソフトウェアやサービスが持っているデータを再利用するための機能です。以下では「ソフトウェアやサービス」をまとめて「サービス」と呼ぶことにしましょう。

- **エクスポート**（export）とは、**サービスが内部に持っているデータを再利用できるように外部に取り出す機能**です。
- **インポート**（import）は、その逆で、**外部にあるデータを利用できるように内部に取り込む機能**です。

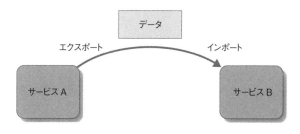

エクスポート／インポート

"export"という英単語のもともとの意味は「輸出」で、"import"

は「輸入」です。サービスを国に見立て、データを物品に見なせば
とても自然な表現だと思います。

エクスポート／インポートの重要性

たとえば、あるブログサービスＡから別のブログサービスＢに
移るとします。そのときユーザは、ブログサービスＡで書き溜め
たブログ記事をブログサービスＢに持っていきたいと思うでしょ
う。つまりここでは「ブログ記事」がサービスから取り出したい
データに相当します。

「サービスからデータを取り出すことができる」なんて当然の機
能のように思えますが、実際はそれほど当然ではありません。なぜ
なら、そのような機能があると、あるサービスＡから別のサービ
スＢへユーザが簡単に乗り換えることができるからです。サービ
ス運営者の視点に立つと「競合サービスにユーザが乗り換えやすく
するような機能をわざわざつけるのか」と考えてしまう恐れがあり
ます。

逆に、ユーザの視点に立つとエクスポート／インポートの機能が
あるかどうかは、そのサービスを使うかどうかで重要なポイントと
なります。もしもエクスポートがないサービスを使ってしまったな
ら、そこで蓄えたデータを外部に取り出すことができません。とい
うことは、たとえ他のサービスに移行したいと思ってもできません。
これはつまりサービスに**囲い込み**されてしまうことを意味します。

サービスに囲い込みされるだけならまだしも、サービスが終了す
るときのことを想像しましょう。そのときにエクスポートがない
サービスを使っていたら目も当てられません。サービス終了と同時
に自分が蓄えたデータが失われてしまうことになるからです。

すでに自分の手元にたくさんのデータがある場合、インポートが
ないサービスを使いはじめるのはためらいます。ユーザは「データ
をまたゼロから作らなければいけないのか」と考えてしまうからです。

適切なインポート／エクスポートを備えているというのは、サー

ビス運営者がどれだけユーザの利便性を考えているか、また提供していているサービスにどれだけ自信を持っているかの現れともいえるでしょう。

重要な再利用可能性

エクスポート／インポートで大事なことは、データが「再利用可能」な形になっている点です。たとえばスプレッドシートに入力されたデータが「表を印刷したPDF」で提供されても意味はありません。PDFになってしまっては再利用、すなわちデータの修正や再計算ができないからです。他のスプレッドシートを扱うサービスに取り込んだときに再利用可能かどうかがポイントです。スプレッドシートなら、コンマで区切られたCSV形式（comma-separated values）やタブ文字で区切られたTSV形式（tab-separated values）などの標準的フォーマットは再利用可能なデータ形式の例です。

標準的フォーマットでデータをエクスポートできることは大事です。他のサービスにインポートしなくても、エクスポートしたデータをプログラムで加工して再利用しやすくできるからです。

たとえば、RSSリーダーやアウトライナーは階層型のデータを扱っています。ですからエクスポート／インポートするデータ形式はOPML（outline processor markup language[1]）のように階層を取り扱えるものになります。

またたとえば、Twitterは自分のツイートすべてをダウンロードする機能を提供しています。これはエクスポートの一種です。でもTwitterにはツイートをインポートする機能はありません。日々つぶやいていくのがTwitterというサービスの性質ですからこれは理解できます。Twitterからダウンロードしたデータは「ツイート履歴」と呼ばれ、JSONとCSVの二種類のデータ形式で提供されます。JSON（JavaScript Object Notation）はJavaScriptで処理で

---

[1] http://dev.opml.org

きる標準的フォーマットで、ツイート履歴はそのままブラウザで読むことができます

日常生活とエクスポート／インポート

　エクスポート／インポートの考え方は、日常生活でもよく見かけます。

　たとえば**転職**を考えてみましょう。ある会社 A を退社して別の会社 B に入社するとします。この場合の「データ」は転職する人自身になりますね。スムーズに退社／入社できるかどうかは、会社の良し悪しに掛かってくるでしょう。また、たとえば技術者が転職する場合のスキルを考えてみると、他の会社に移っても通用するスキルを持っているかどうかは重要であることがわかります。ある会社のみで通用するスキルしか持っていないと、その会社に「囲い込み」されてしまう恐れがあるからです。

　会社をスムーズに退社できるかどうかがエクスポートだとすると、インポートはなんでしょうか。新しく入社した人がなじむためのトレーニングや研修プログラムはインポートに相当します。インポートがうまく機能しないと、せっかく入社した人のスキルを生かせないことになります。

　病院 A に通院していた患者が別の病院 B に移るときに、それまでの**診療情報と共に移りたい**と考えることがあります。それは当然のことです。これはサービスのエクスポート／インポートと似ています。厚生労働省も「診療情報の提供等に関する指針」などを出していますし、病院によってはホームページなどで「診療情報開示」の手順について明記しています。

あなたも、考えてみましょう

あなたのまわりを見回して、あるサービスから別のサービスに移る場面を探してみましょう。

- そのときにエクスポート/インポートに相当することは起きるでしょうか。
- スムーズなエクスポート/インポートを妨げる要因はあるでしょうか。

ぜひ、考えてみてください。

3.3 テンプレート
──定型的なものを作る雛形

定型的なものを作り出すときには**テンプレート**があると労力削減できます。そして、テンプレートを作るためには「繰り返しを発見」する必要があります。

テンプレートとは

テンプレート（template）とは、**定型的なものを作る雛形**のことです。

たとえば**製図用具のテンプレート**は、丸や四角などよく使う図形の部分が穴になった薄い板です。それを使って同じ大きさ・同じ形の図形を手軽に描くことができるのです。

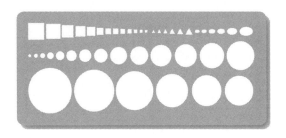

製図用具のテンプレート

Webサービスで登録ユーザに送られてくるメールでは、**定型メールを作るテンプレート**が使われることがよくあります。ユーザに送る文章のテンプレートをあらかじめ用意しておき、実際にメールを送るときに書き換える部分だけを差し替えるのです。たとえば、

テンプレートでは、メールの最初に書かれる「日付」や「ユーザの氏名」の部分が**変数**（パラメータ）になっており、実際にメールを送るときにその変数を現在の日付や対象ユーザの氏名で置き換えます。これによって、いちいち人間がメールの文章を書かなくとも、定型文をコンピュータが自動生成できることになります。

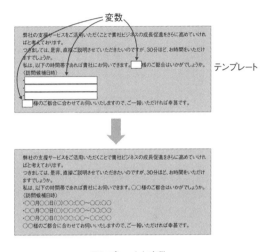

テンプレートと変数

Webサイトが表示するWebページでは**テンプレートエンジン**と呼ばれるソフトウェアが使われることがあります。ひとつのWebサイトでは、表示される文字や画像のような「中身」はページごとに異なるけれど、「構造」は同じ（定型的）になるものです。たとえば、商品カタログのページなら、表示される商品名や価格や写真はページごとに違っていても、表示する位置や大きさなどはすべてのページで同じでしょう。このような場合には、個々のページを毎回ゼロから組み立てるのは効率がよくありません。ページの共通な構造を定義し「商品名・価格・写真」を変数にしたテンプレートを

作っておき、テンプレートエンジンがその変数部分を埋めるように
するのです。

　プログラミング言語 C++ には**関数やクラスを作るテンプレート**
の機能があります。その機能を使うと、関数やクラスのプログラミ
ングを行うときに、型の部分を変数（パラメータ）とすることがで
き、コードの字面上は同じでも、型が異なるコードをうまく作るこ
とができます。実際にコンパイルするときには、その変数の部分が
実際の型で置き換えられることになるのです。

　このように、テンプレートは定型的な何かを作り出すための雛
形ですが、そこには実際の値で置き換えられる変数（パラメータ、
穴）があります。このような変数があることで、定型的ではありな
がらも必要に応じたカスタマイズができるようになっているのです。

繰り返しを見つける

　テンプレートを使う目的は「労力を減らす」ことです。定型的な
ものを、ゼロから繰り返し作るのは労力の無駄です。ですから変数
を含んだテンプレートを用意しておき、変数の部分だけを置き換え
るようにするのです。

　製図でも、定型メールでも、プログラミングでも、人間が「同じ
ことを繰り返しているな」と気付ければ「テンプレート化しよう」
という発想が生まれます。ですから、テンプレートを作るためには
繰り返しを見つけることが大切になります。

　完全に同じことの繰り返しならば、変数がまったくないテンプ
レートでもかまいません。しかし、一部に変更があるような繰り
返しには変数が必要になります。その際に大事になるのは「テン
プレートのどの部分をどの程度まで変数にするか」という判断です。
すなわち、それがテンプレートの良し悪しとなります。

　どんな場合にも対処できる万能テンプレートを一つ用意して変数
を非常に多くする場合（最大限に汎用化）と、ケースごとに個別の
テンプレートを用意しておいて変数を少なくする場合（最大限に特

殊化）が両極端の設計です。どのようにテンプレートを設計すべき
かは場合によりますので、唯一の正解はありません。

　変数を多くすれば多くの場合に対処できますが、変数を埋める労
力が掛かります。変数を少なくすれば変数を埋める労力は少なくて
済みますが、使える場面は減るでしょう。ここには**トレードオフ**が
あるのです。

日常生活とテンプレート

　テンプレートの意味をとても広く解釈すれば、日常生活の定型的
なものの多くはテンプレートと見なすことができます。日常生活の
多くのことは繰り返しであり、定型的な扱いが可能だからです。

　たとえば**ファーストフードの店頭対応**はテンプレートの一種です。
「いらっしゃいませ」から始まって「顧客の注文を復唱する」「料金
の受け取り」「おつりの支払い」「商品の引き渡し」という一連の流
れは、注文内容や料金の部分を変数としたテンプレートと見なすこ
とができるでしょう。テンプレートがうまく設計されていれば、店
員の能力に大きく依存せずに、多くの顧客をすばやくさばけること
になります。

　毎日の通勤・通学、会社や学校での業務なども、思い返してみる
と繰り返しがたくさんあることがわかります。そして定型的な扱い
が可能な部分もたくさんあるでしょう。

　テンプレートによって、毎回ゼロから考えたり作ったりしなくて
済むようになるなら、労力削減という意味でテンプレートは良いも
のです。特に効率を重視する場面では役に立ちます。その一方で、
日常生活でテンプレート化を進めすぎると、味気ない印象を与えて
しまう場合もあります。

　たとえば**病院での問診票**に自分の症状などを記入するのはテンプ
レートを活用し、効率的に話を進めるために有効です。その一方で、
医者が患者の悩みを聞く状況ではテンプレートの活用がそぐわない
こともあるでしょう。たとえ、医者の側にはテンプレートがあり、

変数を埋めるようなパターンに落とし込めるとしても、その存在を
患者に感じさせるのが不適切な場合もあるということです。

　テンプレートの存在を顧客に感じさせることによって「この種の
問題を扱うのは手慣れている」とアピールできる場合もありますが、
逆に「機械的な対応であり個別の存在として顧客を扱っていない」
という印象を与える場合もあります。

あなたも、考えてみましょう

　あなたのまわりを見回して、定型的なものを作るときのテンプ
レートを探してみてください。

- あなたが見つけたテンプレートでは、変数に相当するものと
して何がありますか。
- また、個別に毎回作成しているものの中で、テンプレート化
した方が効率が上がりそうなものはありませんか。
- さらにまた、テンプレートの存在をわざと見せているサービ
ス、見せないように工夫しているサービスはありますか。

　ぜひ、考えてみてください。

第4章
リソースを活用する

　この章では、限られた**リソース**をどのように活用するかを考えます。リソース（資源）とは、自分が使うことのできる時間、空間、お金、人材などの総称です。

◉有限のリソースを一つのことだけに使ってしまうのはまずい方法です。発生する**トレードオフ**を意識しましょう。

◉リソースは有限ですから、使わなくなったリソースは**ガベージコレクション**によって回収し、何度も使いましょう。

◉リソースが有限だからといって、必要以上にケチケチするのは正しくありません。ときには**富豪的プログラミング**の発想に立ちましょう。

4.1 トレードオフ
——あちらを立てればこちらが立たず

> 　相反する二つの項目を共に良くすることはできません。あちらを立てればこちらが立たないし、こちらを立てればあちらが立たないという状況になるでしょう。そんな**トレードオフ**の関係にある状況を考えます。

トレードオフとは

　トレードオフ（tradeoff）とは、**ある量を都合のいい方向に動かすと、別の量が不都合な方向に動いてしまう関係**のことです。

　もともとトレードオフとは、「取引」や「交換」という意味で、この言葉は、「何かを自分が買うためには、その対価として別の何かを支払う必要がある」ということを意味しています。

　品質が良いものを手に入れるためには、高い料金を支払う必要がある——というのは当然の話です。品質が良くなるのは都合いいことですが、料金が高くなるのは不都合なことです。料金を低くできるなら都合がいいのですが、その分だけ品質は悪くなってしまうでしょう。

　品質が良いものを手に入れるために支払うものは、料金とは限りません。たとえば「時間を支払う」場合もあるでしょう。品質が良いものを手に入れるには時間が掛かるけれど、品質がそこそこのものならばいますぐに手に入る——これもトレードオフになります。

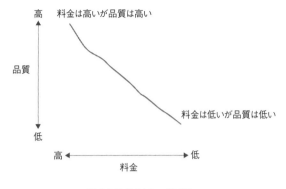

料金と品質のトレードオフ

時間と空間のトレードオフ

　プログラミングで起きる典型的なトレードオフは**時間と空間のト
レードオフ**です。たとえば、プログラムの高速化を行うための技法
として、**バッファ**や**キャッシュ**がよく使われます。これはどちらも、
いったん読み込んだデータをメモリ上に保存しておき、次回の読み
込みを高速にする技法です。ここでは「高速にデータを得られる」
という「時間」を買うために、「データを保存しておくメモリ」とい
う「空間」を対価として支払っていることになります。
　時間と空間のトレードオフでは、いつも空間を対価として支払う
わけではありません。たとえば、三角関数の sin や cos などの複雑
な関数をプログラミングする場合、次の二つの方法があります。

- 三角関数表をメモリ上に持つ方法（空間を使う）
- 毎回計算によって求める方法（時間を使う）

　メモリに余裕があれば、三角関数表をメモリ上に持つ方法が良い
ですが、メモリに余裕がないなら、毎回計算によって求める方法が

良いでしょう。後者では、メモリという「空間」を買うために、毎回計算して「時間」を対価として支払っていることになります。

　時間と空間のトレードオフは、時間と空間のどちらを支払うかという二者択一ではありません。時間と空間のどちらをどれだけ支払うかには、幅広い選択の余地があります。そしてシステムを設計する人は、環境に合わせて最も良いポイントを選択しようとするでしょう。たとえば、三角関数を実装する場合、よく使われる値については表を用意しておき、あまり使われない値は計算を行うという実装も可能でしょう。

コンパイラのトレードオフ

　時間と空間のトレードオフ以外にも、プログラミングではあちこちにトレードオフが発生します。

　たとえば、プログラマが書いたソースコードを実行ファイルに変換するコンパイラを考えてみましょう。インタプリタのように、プログラマが書いたコードを解釈しながら実行するならば、コンパイルと最適化のための時間を節約できますが、実行速度は遅くなります。逆に、コンパイルと最適化のために時間を使うならば、実行速度は速くなります。ここではコンパイル時と実行時の二つの時間の間にトレードオフが発生しています。

　トレードオフで最適なポイントがどこにあるかは、時代と環境に依存します。コンパイルと最適化にどれだけ時間が掛かるか、またそれによってどれだけ実行速度が向上するかの兼ね合いということになるでしょう。インタプリタが内部で中間コードにコンパイルを行うことも、コンパイラがネイティブコードではなく仮想コードにコンパイルすることも、さらに実行時にネイティブコードに変換することも、すべて「時間を何のために使うか」ということを念頭に置いたトレードオフの結果といえます。

選択は常にトレードオフ

　実際のところ「あれかこれか」という選択が生じるところでは、常にトレードオフが存在しているといえます。

　これはトレードオフの意味から明らかです。時間であれ、空間であれ、どんな量であれ、いくらでも都合がいいように増加させられるなら、何も悩む必要はなく、選択する必要もないからです。

　選択が生じるのは、複数の選択肢の間に何らかの相反する関係があるからなのです。完全な選択肢が一つだけなら、それはもう選択肢とはいえません。

トレードオフの原因

　ところで、どうして選択が生じるところで常にトレードオフが生まれるのかを、もう一歩進めて考えましょう。

　それは、多くの場合**リソースに限界がある**からです。リソース（resource）とは、処理を行うために使える資源のことです。時間や空間やお金などは典型的なリソースです。もしも無限にリソースがあるなら、ほとんどのトレードオフは消えてしまいます。無限に時間を使える場合、無限にメモリを使える場合、無限にお金を使える場合などを考えればわかるでしょう。

　しかし現実の世界でリソースを無限に使えることはありません。ですからどうしてもリソースの「やりくり」が発生します。リソースのやりくりをどうするか、これはまさにトレードオフに直面している状況なのです。

　そう考えてくると、トレードオフに直面したときの対処法の一つは、**リソース状況を把握する**ことだといえます。たとえば、時間と空間のトレードオフなら、自分が使える時間と空間がどれだけあるかを把握するということです。それは自分が許容できる支払と、それを対価にして買えるものとを把握することに他なりません。

　もしも、リソース状況を十分に把握することができ、さらに自分

が許容できる支払を把握することができたなら、トレードオフに直面しても、良い判断ができることになるでしょう。

日常生活とトレードオフ

　技術的な問題に限らず、私たちの日常生活でもトレードオフは日々発生します。

　明日までに二つの作業をしなければならないが、どちらにどれだけの時間を使うべきかという**スケジュールの問題**は、私たちが直面する典型的なトレードオフです。ここでは「明日までの時間」という限られたリソースをやりくりする状況を考えているわけです。

　作り上げたプロダクトやサービスをいくらで提供するべきかという**販売価格決定の問題**も、トレードオフと見ることができます。単価が低ければたくさんの顧客に売れますが、多数売らなければ売上が上がりません。一方、単価が高ければ少数の顧客でも売上が上がりますが、そもそもその顧客がなかなか見つからないでしょう。

あなたも、考えてみましょう

　あなたのまわりを見回して、「あちらを立てればこちらが立たず」というトレードオフの関係にあるものを探してみましょう。

- トレードオフを無視して片方だけを向上させたら何が起きますか。
- そこでやりくりされている有限のリソースは何でしょうか。
- リソース状況を把握することはできますか。

ぜひ、考えてみてください。

4.2 ガベージコレクション――使わないものを捨てて空間を再利用

> ゴミはどんどん溜まります。ゴミをちゃんと捨てなければ、そのうちに部屋はゴミでいっぱいになるでしょう。ですから、**ガベージコレクション**が必要になります。

ガベージコレクションとは

ガベージコレクション（garbage collection）とは、**管理しているメモリ領域のうち、使用しなくなったメモリを自動的に再利用可能にする仕組み**のことです。頭文字を取って GC と呼ぶこともよくあります。ガベージ（garbage）はゴミのことで、コレクション（collection）は集めることですから、「ガベージコレクション」を直訳すれば「ゴミ集め」という意味になります。

プログラムによるガベージコレクションを簡単に説明します。

プログラムは、動作中に多くのメモリを使用します。プログラムはヒープと呼ばれる領域から必要な量のメモリを確保して処理を進めます。

プログラムの処理が進んで不要になったメモリはプログラムから参照されなくなります。ガベージコレクションでいう「ガベージ」すなわち「ゴミ」は、「プログラムからもう参照されなくなったメモリ」のことです。

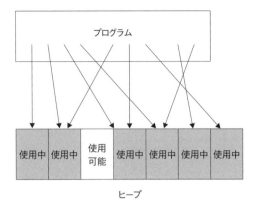

プログラムはメモリを確保して使用する

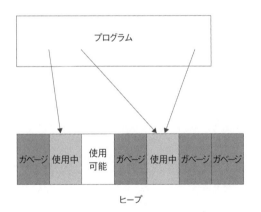

参照されなくなったメモリはガベージになる

　プログラムが動作を長時間続けると、ガベージが増えてきます。そこでガベージコレクションを行い、ガベージを使用可能なメモリとして管理し直します。これによってプログラムに使用可能なメモリが増えることになります。

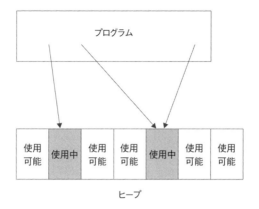

ガベージコレクションが終わるとガベージは使用可能になる

　ガベージコレクションという用語は「ゴミ集め」を意味していますが、本来の目的は「ゴミ集め」ではありません。本来の目的は、使わなくなったメモリを再利用すること、つまりメモリの「リサイクル」なのです。

メモリの管理は難しい

　プログラムが処理のためにメモリを確保し、処理が終わればメモリが不要になるのは当然のことです。ガベージコレクションをことさらに考える必要があるのは、一つのメモリが、プログラムの複数箇所から参照されている可能性があるからです。「このメモリはガベージである」と判断するためには、プログラムの「**どこからも参照されていない**」といえなければなりません。

　ガベージコレクションを行わず、プログラマがすべてを管理するという方法もあります。処理に必要なメモリを malloc 関数で確保し、不要になったところで free 関数で解放するというのはその一例です。もしもプログラマがメモリの要不要を正しく判断できるのであれば、これで問題はありません。しかし、判断に誤りがあると

メモリリークと呼ばれるバグとなり、思いがけない動作をする危険性があります。これはよく起きるバグで、しばしばセキュリティ上の問題を引き起こします。

　ガベージコレクションでは、メモリがガベージかどうかを言語処理系が自動的に判断してくれますので、プログラマがメモリ管理を行う負担がなくなります。

　現代の多くの言語処理系、たとえば Java, JavaScript, Python, Ruby などはすべてガベージコレクションを備えていますので、メモリリークを気にする必要はありません。

ガベージコレクションのアルゴリズム

　ガベージコレクションには多くのアルゴリズムがあります。最も簡単なものは**何もしない**というアルゴリズムでしょう。つまり、メモリの再利用はまったく考えず、使い切ったらプログラムを終了してしまうという乱暴なものです。これは乱暴ですが、十分なメモリがあるなら実用上は問題ありません。

　マーク＆スイープはガベージコレクションの基本的なアルゴリズムです。現時点で参照されているメモリのすべてにマークを付け、それが終わったらマークが付いていないメモリをすべてガベージだと判断し、使用可能なメモリとして再利用します。マークを付けている最中にプログラムが動いていたら使用状況が変化するため、ガベージコレクション中にはプログラムが一時停止します。

　リファレンスカウントというガベージコレクションのアルゴリズムもあります。これは、管理しているメモリの一つ一つに「現在何カ所から参照されているか」を表すカウンタを持つ方法です。そのメモリに対して新たな参照が生まれたらカウントアップし、参照しなくなったらカウントダウンします。この方法では、カウンタが0になった瞬間に、そのメモリがガベージになったことがわかります。この方法では、マーク＆スイープのようにプログラムを一時停止する必要がありません。その反面、メモリに対するすべての参照の変

化を毎回管理する必要が生じてしまいます。

　コピーGCというアルゴリズムもあります。このアルゴリズムでは、ヒープをAとB二つの部分に分け、その片方だけを使います。ガベージコレクションを行うときには、使っているメモリの内容をAからBにコピーし、リンクを付け替えます。現在使っているメモリをすべてBにコピーし終えたなら、Aに残っているメモリはガベージであると判断できます。この方法は、使えるヒープが半分になるという欠点がありますが、コピーによってヒープの断片化をなくす効果があります。

　実際の言語処理系では、これらの方法を組み合わせ、スピードとメモリ効率のバランスを考えたガベージコレクションが実装されます。メモリはプログラムを支える土台になりますので、ガベージコレクションの実装はきわめて重要な意味を持ちます。

日常生活とガベージコレクション

　ガベージコレクションはもともと「ゴミ集め」という私たちの日常生活の比喩を使った用語であり、技術者の軽口としても「ガベージ」や「ガベージコレクション」はよく登場します。たとえば、**散らかった机を片づける**ときに、「そろそろガベージコレクションするか」と言いたくなるプログラマは少なくないでしょう。

　筆者は、昼食後に眠くてしょうがなくて仮眠を取ることがあります。**仮眠で頭をスッキリさせる**のは「頭のガベージコレクション」という感じがします。

　ここ十年くらい**断捨離**という言葉が流行していますが、これはガベージコレクションに似ています。特に、断・捨・離のうち、いらないものを捨てる「捨」の部分がガベージコレクションに一番近いでしょう。

　家の**大掃除で不要品を捨てる**のは、そのままガベージコレクションです。ガベージコレクションの本来の目的が、メモリの再利用（リサイクル）にあるように、不要品を捨てることで、家の空間を

再利用できますね。

　しかし、ガベージコレクションで「このメモリはガベージである」と判断するのが難しいのと同じように、家にあるものを「これは不要品である」と判断するのは難しいことです。

　プログラムの場合「ガベージである」と判断する条件そのものは明確です。プログラムのどこからも参照されていないならばガベージだからです。難しいのはその**どこからも参照されていない**ことを調べるための手間です。マーク＆スイープではプログラムを一時停止します。いわば「時間を止め、メモリという空間をスキャンする」ことで判断を行うのです。

　大掃除で「不要品である」という判断はどうするでしょうか。恐らく、自分の未来の生活を想像して「この物品は今後使うだろうか？」と考えることになります。いわば「未来という時間をスキャンする」ことで判断を行うのです。確かにそれは難しい話ですね。

　段ボール箱にしまって何年も使ったことがないものでも、いざ捨てるとなると「いつか使うかも」と考えるのが人情です。

　ある人は、こんな方法をとっていました。

- 段ボール箱ひとつひとつに小さな付箋を貼っておく。
- 段ボール箱にアクセスしたらそこに貼られた付箋を剥がす。
- 一年後に段ボール箱を見て、付箋が残っている箱は一年間アクセスしなかった箱なので、中身を見ずに捨てる。

この方法では、付箋をアクセスの有無の印として使うのですね。なるほどと思う反面、私にはできそうにないとも思います。捨てる前につい中身を見てしまうでしょうから！

　それはともかくとして、要不要の判断基準が明確になっていると、身のまわりは片づけやすくなりそうですね。

あなたも、考えてみましょう

　あなたのまわりを見回して、ガベージと見なせるものを探してみましょう。

- どんなときにガベージと判断できるでしょうか。
- ガベージを回収することで再利用できるリソースは何ですか。

ぜひ、考えてみてください。

4.3 富豪的プログラミング
──必要以上にケチケチしない

> 富豪とは大金持ちのことで、お金を湯水のように使うのは「富豪的」と呼べるでしょう。プログラミングの世界にも「富豪的」という考え方があります。それが**富豪的プログラミング**です。ただし、湯水のように使うのはお金ではなく計算機リソースです。ケチケチ節約することで失っているものがないかを考えてみましょう。

富豪的プログラミングとは

富豪的プログラミングとは、計算機のリソースを過度に節約しないでプログラミングするという考え方で、20世紀の終わりごろに増井俊之氏が提唱したものです[*1]。

計算機のリソースとは、メモリやディスクやCPUパワーなど、コンピュータが処理を行うときに必要となるものの総称です。計算機資源ともいいます。プログラマは通常、計算機のリソースをできるだけ使わずに節約するアルゴリズムを考え、プログラミングを行います。つまり、動作中にメモリやディスクを消費せず、似た計算を繰り返さないように工夫を凝らし、いったん行った計算の結果を注意深く管理します。

しかし、現代のコンピュータは想像以上に潤沢なリソースを持っているため、実はそれほど節約する必要はないかもしれません。盲目的にリソースを節約しようとすると、プログラムを作るのに時間が掛かり、また仕様の面でもユーザが使いにくい貧弱なものになる危険性があります。

[*1] 富豪的プログラミング　http://www.pitecan.com/fugo.html

富豪的プログラミングでは、プログラマが陥りがちな「リソースを過度に節約する」という認識に注意を向けます。リソースは潤沢にあると考え、貧乏くさい仕様や実装にならないように注意を払うので、「富豪的」という名前を冠しているのでしょう。

Web はもともと富豪的

昔話で恐縮ですが、生まれて初めて Web ブラウザに触れたときのことを思い出します。NCSA Mosaic を使って画面にテキストや画像が表示されるデモを見ました。その仕組みを聞いたときに非常に驚き、憤ったのを覚えています。ネットワーク越しにテキストデータを送り、それを解釈させて画面を構成しているのか！ しかも表示している画像は「その都度」ネットワーク越しに転送しているなんて、何と無駄なことをするんだろう！ そんなふうに驚いたのです。

しかも送信しているテキストデータ（HTML のことですね）にも無駄が多い。<HTML> や <IMG> なんて長い文字列を使わず、適切に符号化してやればずっと少ないバイト数で同じことが実現できるじゃないか。そこにも驚きがありました。

もちろん、そこから時代は流れ、Web の普及を実感して、私は自分の不見識を恥じることになったのでした。Web の発展と普及の原動力となったのは、まさに「富豪的プログラミング」の発想なのです。

余談ですが、私の不見識には続きがあります。それは Web のスタイルシート（CSS）の普及ですね。CSS が登場したとき、私は再び、何と無駄なことをするんだろうと思ったものです。HTML があるんだから、そこに全部を入れればいいじゃないか。どうしてネットワーク越しで複数のファイルを送ったりするのか。そしてまたまた、CSS の普及に伴って私の認識不足を実感したのです。

私が Web 技術に対して見込み違いの印象を持った理由を考えてみると、技術に対する思い込みが問題であったようです。ネット

ワークを通じて送るデータは大きさをできるだけ小さくしなければ
いけないという思い込みや、ネットワーク越しに送るファイルの個数
はできるだけ少なくしなければいけないという思い込みのことです。

　私に見えていなかったのは正しい**トレードオフ**です。データの大
きさやファイルの個数だけを見てはだめで、ネットワークの転送ス
ピードとその進歩の度合い、それによって実現されるユーザ体験な
どを総合的に考える必要があったのですね。一言でまとめるなら、
要素技術をどう評価して判断するかという**評価関数の再確認**が必要
だったのです。

日常生活と富豪的プログラミング

　私たちは日常生活の中で無駄遣いがあると「もったいない」と
いって節約をします。節約は良いことであると思いがちですが、日
常生活の中で「富豪的」な考え方が役に立つことはあるでしょうか。

　安い商品を探し続けないというのは、代表的な富豪的行動の一つ
です。買い物をするときに安い商品を探すのは誰しも行うことです。
高い商品を買うと「お金」が掛かるからですね。でも、もっと安い
商品がないかと探し続けると、自分の「時間」を消費することにな
ります。安い商品を探すことで節約できるお金と、探すために消費
する時間との間にはトレードオフの関係があります。実は安い商品
を探し続けず早めに買う方が、時間に関しては節約になっているの
です。

　少ない荷物で行く旅行も、富豪的な行動の例です。旅先で必要に
なるかもしれないからと考えて、たくさんの荷物を旅行に持ってい
くのはたいへんです。持っていく荷物はできるだけ少なくし、必要
なものはすべて旅先で買ってしまうという発想はなかなか富豪的で
すね。確かに、自分の家にあるものを持っていかず、すべて旅先で
買うというのは無駄であり贅沢ともいえます。しかし、必要になる
かどうかわからないもののために、荷物を多くして移動の負担を増
やすのは旅行の快適さを損なっていることになるでしょう。さらに

富豪的な行動として、旅行から帰る前に不要なものを捨ててしまい、身軽になって帰宅するというものもあります。

富豪的プログラミングは、私たちが「コストパフォーマンス」や「無駄遣い」や「もったいない」と判断するときに「どんな**評価関数**に基づいてその判断が行われたか」に注意を向けてくれるともいえます。リソースは一種類ではありませんし、しばしばトレードオフの関係にあります。あるリソースを節約するのは、別のリソースを消費してしまうということです。

お金を節約するのは当然と考えがちですが、その節約によって多大な時間を失うこともあるでしょう。贅沢に見えるような行動であっても、「どのリソースに関する贅沢なのか」を見極めることが大切なのです。

また、自分が持っているリソースが何であるか、どれが潤沢にあり、どれを節約すべきなのかを把握することも大切です。

あなたも、考えてみましょう

あなたのまわりを見回して「節約を心がけているもの」を探してみましょう。

- その節約で大事にしているリソースは何ですか。
- そのリソースとトレードオフの関係にある別のリソースはありませんか。
- もしも、富豪的に振る舞ったらどうなりますか。

ぜひ、考えてみてください。

第5章
セキュリティを守る

　この章では、**セキュリティ**を脅かすどのような攻撃があるか、また、セキュリティを守るためにどのような技術があるか紹介します。それらの技術がどんな発想を含んでいるかを考えましょう。

- ◉**公開鍵暗号**では、鍵を「閉める鍵」と「開ける鍵」に分けて考え、不可能に見える問題を解きます。
- ◉一つの要素だけでは危険な場合でも、**二要素認証**のように二つの要素を組み合わせればより安全にすることができます。
- ◉プログラマは、読みやすく書いたプログラムを**難読化**する場合があります。機能を損なわずにプログラムの内容を守ろうというのです。
- ◉通信する二人の間に攻撃者が入る**中間者攻撃**では、通信がすべて攻撃者を通過します。ここでは暗号化は役に立ちません。攻撃者は二重のなりすましをしているからです。
- ◉サービスが持っているリソースは有限ですから、**DoS 攻撃**によって、あふれるほどの要求がきたらサービスが止まってしまいます。しかもその攻撃を避けるのは困難です。

5.1 公開鍵暗号
──不可分に見えるものを分割する

公開鍵暗号では、「閉める鍵」と「開ける鍵」を分けて考えます。これによって不可能に思える鍵配送問題を解くことができるのです。この技術は現代のインターネットにおける通信を支えています。

公開鍵暗号とは

公開鍵暗号（public key cryptography）とは、暗号化と復号で使う二つの鍵を分けた暗号方式です。二つの鍵を分割することで鍵配送問題を解決できます。

私たちがWebで買い物をするとき、クレジットカード番号などの重要な情報を守るため、WebブラウザとWebサーバは暗号を使った通信を行います。公開鍵暗号は、このときの通信を根底で支えています。もしも公開鍵暗号がなければ現代のインターネットは大きな困難に直面するでしょう。

鍵配送問題とは

公開鍵暗号が解決する鍵配送問題を簡単に説明します。

送信者アリスが受信者ボブに情報を送りたいとしましょう。

盗聴者イブにその情報を盗まれるのを防ぐため、送信者アリスは情報を暗号化して**暗号文**を作り、その暗号文を送信します。そして受信者ボブは受け取った暗号文を復号して情報を得ます。

この場合、盗聴者イブは情報を盗むことができません。通信経路を流れるのは暗号文だけだからです。ここまでの状況は、貴重品が入ったトランクを送るときには鍵を掛けてから送るのと同じです。

しかし、ここで「鍵配送問題」が起きます。

　送信者アリスが暗号化を行うときに使った**鍵**をボブに配送しなければ、受信者ボブは暗号文を復号できません。それは、鍵が掛かったトランクだけが送られてきても、肝心の鍵がなければ開けられないのと同じことです。

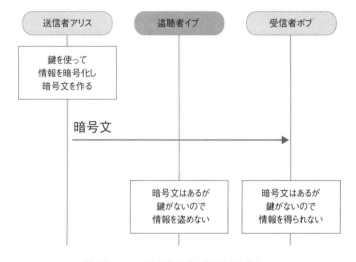

鍵がないので、受信者ボブは情報を得られない

　だからといって、暗号文と鍵の両方を送るのは危険です。なぜなら、盗聴者イブが暗号文と鍵の両方を手に入れたなら、暗号を解読できてしまうからです。暗号文と鍵の両方を送るのは、鍵の掛かったトランクを鍵といっしょに送るような行為です。

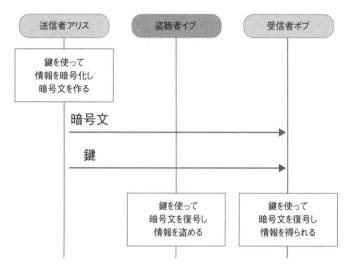

送信者アリス　　盗聴者イブ　　受信者ボブ

鍵を使って
情報を暗号化し
暗号文を作る

暗号文

鍵

鍵を使って
暗号文を復号し
情報を盗める

鍵を使って
暗号文を復号し
情報を得られる

暗号文と鍵を送ったら、盗聴者に情報を盗まれてしまう

　鍵を配送しなければ受信者ボブは情報を得られないが、鍵を配送
してしまうと盗聴者イブに情報を盗まれてしまう。これが鍵配送問
題です。

公開鍵暗号による鍵配送問題の解決

　公開鍵暗号では「暗号化するための鍵（公開鍵）」と「復号するた
めの鍵（プライベート鍵）」を分けることで鍵配送問題を解決しま
す。トランクのたとえでいうならば、公開鍵はトランクを閉める鍵
で、プライベート鍵はトランクを開ける鍵といえます。

　　公開鍵　　　　　暗号化するための鍵（閉める鍵）
　　プライベート鍵　復号するための鍵（開ける鍵）

　受信者ボブは前もって「公開鍵」と「プライベート鍵」という一

対の鍵ペアを作ります。そして、**公開鍵**を送信者アリスに届けます。この公開鍵は盗聴者イブに知られてもかまいません。

　送信者アリスは公開鍵で暗号化を行い、**暗号文**を受信者ボブに送ります。受信者ボブはプライベート鍵で復号を行い、情報を得ます。

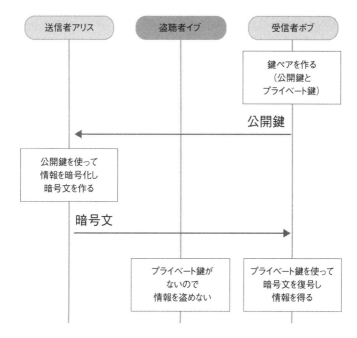

公開鍵暗号による鍵配送問題の解決

　このとき、通信経路を流れるものは公開鍵と暗号文だけです。公開鍵は情報を暗号化して暗号文を作るためのものですから、盗聴者イブは暗号文を復号することはできません。したがって情報は盗まれません。

　私たちはふだん「閉める鍵」と「開ける鍵」とを分けて考えたりはしません。トランクでも家のドアでも閉める鍵と開ける鍵は同一

です。そのために、「鍵配送問題」を解くことはできないと考えてしまいます。

　しかし、公開鍵暗号のすばらしい発想は、鍵が持っている二つの役割（閉める・開ける）を異なる鍵に担わせたところにあります。開ける鍵（プライベート鍵）さえしっかり守っていれば、閉める鍵（公開鍵）の方は世界中にばらまいてもまったく問題ないのです。

日常生活と公開鍵暗号

　コインロッカーは公開鍵に似ています。コインロッカーはコインを入れれば誰でも荷物を入れて閉めることができます。でも、いったん閉めた後は、第三者がその場所にやってきてもコインで開けることはできません。開けるときにはコインとは別の「開ける鍵」が必要になります。

　つまり、コインロッカーでは、コインが「閉める鍵」となり、閉めたときに得られたキーが「開ける鍵」の役割を果たしていることになりますね。閉めるのは誰でもできるが、開けるのは「開ける鍵」を持った人に限られるので、公開鍵暗号のシステムとたいへん似ています。

　公開鍵暗号の発想をもう少し抽象化して考えてみましょう。公開鍵暗号は鍵配送問題を「鍵を二つに分ける」ことで解決しました。**これは不可分に見えるものを、役割を明確にして分ける発想**といえます。もしも鍵を「暗号で必要なもの」のようにふわっと考えていただけでは公開鍵暗号は生まれません。「暗号化」と「復号」という二つの役割を明確にすること（そしてしっかり守らなければならないものは、復号のための鍵だけであると気付くこと）が大事なのです。

　会社で仕事を行うとき「忙しいのに誰も手伝ってくれない」という状況を経験したことはないでしょうか。これはいわば「自分」という一つの存在を複数に分けることができない状況です。自分を不可分な存在だと見ているわけです。そこで、「自分は仕事で忙しい」のようにぼんやりと考えるのをやめてみましょう。もしも、自分が

この仕事で行っているのは「A」という役割と「B」という役割の二つであり、「B」については他の人に任せられるなどと気付いたなら、**作業分担**が容易になるのではないでしょうか。

「不可分に見えるものを分ける」という簡単な例として、自分の仕事を人に分担する話をしました。でもこれはずいぶんナイーブな発想ともいえます。というのは、人に仕事を任せるというのはそれほど単純な話ではないからです。

他の人に仕事の一部を任せるためには、その仕事を説明し、また必要に応じて会議や打ち合わせをする必要が生じるでしょう。いわゆるコミュニケーションコストが発生するのです。

公開鍵暗号の場合はどうなっているでしょうか。つまり、公開鍵で暗号化したものをどうして、別の鍵であるプライベート鍵で復号できるのでしょうか。

それが可能になるのは公開鍵とプライベート鍵の間に数学的な関係があるからです。公開鍵暗号を使うためには前もって「鍵ペアを作る」という作業が必要になります。そのときに行う計算で、公開鍵とプライベート鍵の間には数学的関係が作られます。したがって、仕事分担の際に起きるコミュニケーションコストは発生しません。

しかし、公開鍵暗号がすべてを解決してくれるわけではありません。ボブから送られてきた公開鍵が、ほんとうにボブ本人から送られてきた公開鍵かどうかを確かめなければならない問題が残っているからです。これを解決しようというのが、公開鍵証明書です。公開鍵をめぐる一連の興味深い物語は、拙著『暗号技術入門』[1] をぜひお読みください。

「不可分に見えるものを分ける」というのはすばらしい発想ですが、それですべてが解決するわけではありません。「分ける」という一つの問題の解決法そのものが、「分けたことによって生じる新たな問題」を発生させてしまうのです。

---

[1]　結城浩『第3版 暗号技術入門 秘密の国のアリス』(SB クリエイティブ)

あなたも、考えてみましょう

　あなたのまわりを見回して、トラブルの中心に「不可分に見えるもの」はないでしょうか。

- 不可分に見えるものの役割を明確化して「二つに分ける」ことはできないでしょうか。
- 二つに分けることで新たな問題は生まれるでしょうか。

ぜひ、考えてみてください。

5.2　二要素認証──異なる要素を組み合わせて安全性を高める

> ネットで本人認証をするときにはパスワードがよく使われますが、それだけでは、パスワードが漏洩すると簡単になりすましされてしまいます。二つの要素を組み合わせた**二要素認証**によって安全性を高めることができます。

二要素認証とは

二要素認証（two-factor authentication）とは、Web サービスにログインするときなどに**二つの要素を用いて行う認証**のことです。英語表記の頭文字を取って **2FA** と呼ぶ場合もあります。

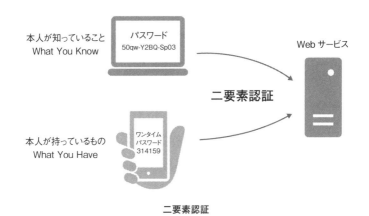

二要素認証

Web サービスにユーザがログインするとき、最も一般的なのはパスワードを入力して認証する方法ですね。パスワードで本人であると認証できるのは、パスワードを知っているのが本人だけだから

です。すなわちこれは本人が知っていることを使った認証になります。

　パスワードだけで認証する場合、一つの要素しか認証に使っていません。これを**一要素認証**（single factor authentication）といいます。

　最近の Web サービスではパスワード以外の要素も合わせて本人の認証を行うケースが多くなってきました。パスワードだけによる一要素認証では、漏洩した場合に簡単になりすましされてしまうからです。

　たとえば、さくらインターネットのログインページでパスワードを入力すると、ユーザのスマートフォンに SMS で 6 桁の数字列が送られます。送られてくる数字列は乱数で**使い捨てパスワード**（one-time password, OTP）といいます。

　パスワードだけでは認証は成功せず、スマートフォンに送られてきた数字列を Web サイトで入力して初めて認証が成功します。すなわちこれは、本人が持っているもの（スマートフォン）という要素を使って認証していることになります。

　OTP は SMS 経由で送られてくるとは限りません。Google Authenticator や Authy というソフトウェアトークンでは OTP が常時ランダムに表示されており、ソフトウェアトークン認証のタイミングで数字列を入力することで認証を行います。これも本人が持っているもの（ソフトウェアトークン）という要素を使って認証していることになります。

　パスワードと OTP による認証は、本人が知っていることと持っているものという二つの要素で認証していますので、二要素認証といえます。

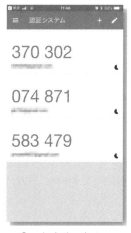

Google Authenticator

Authy

Google AuthenticatorとAuthyの画面例

三種類の要素

　二要素認証で使われる要素には、次の三種類があります。

　「**本人が知っていること（What You Know）**」は、パスワードや秘密の質問の答えなど、本人しか知らないことです。本人しか知らないことが重要なので、他人から推測されてはいけませんし、漏洩したら使えなくなります。

　「**本人が持っているもの（What You Have）**」は、SMSを受け取るスマートフォンや、USBドングルと呼ばれる機器や、OTPを表示し続けるセキュリティトークンと呼ばれる専用ハードウェアなど、本人しか持っていないものです。本人しか持っていないことが重要なので、他人に盗まれてはいけません。

　「**本人が備えている特性（What You Are）**」は、指紋や声や顔などの、本人が持っている身体的特徴・特性です。iPhoneの

Touch ID や Face ID, Android の指紋認証や音声認証、Windows Hello（顔認証）などで広く使われています。

　二要素認証では、これらの三種類の要素から二つを合わせて用いることになります。複数の異なる要素を組み合わせることで欠点を補うためです。二要素認証を一般化した、**多要素認証**（multi-factor authentication）という用語もあります。

　ところで、Web サービスが「パスワード」と「秘密の質問の答え」という二つを求めてくる場合があります。二つが求められているのでこれも二要素認証と考えがちですが、この二つはどちらも「本人が知っていること（What You Know）」ですので、使われている要素はあくまで一種類です。このような認証は「二要素認証」とは区別して「二段階認証」と呼びます。

日常生活と二要素認証

　二要素認証の考え方は、日常生活でもよく見かけます。

　たとえば、銀行 ATM から現金を引き出すときの**キャッシュカード＋暗証番号**は二要素認証そのものです。キャッシュカードは「本人が持っているもの（What You Have）」で、暗証番号は「本人が知っていること（What You Know）」だからです。

　ある銀行の貸金庫では、**ユーザカード＋暗証番号＋金庫の鍵**を使います。まず、貸金庫ルームに入るためにユーザカードと暗証番号が必要で、さらにそこから自分の金庫を開けるのに金庫の鍵を使います。ユーザカードと金庫の鍵は「本人が持っているもの（What You Have）」であり、暗証番号は「本人が知っていること（What You Know）」になります。

　セキュリティ以外でも、品質を高めるために複数の要素を使うことはよくあります。たとえば計算がまちがっていないか確かめるために**検算**するとき、自分が計算したのと同じ方法で繰り返すのはあまりいい検算ではありません。なぜなら、同じところで同じまちがいをする可能性があるからです。**計算したときと違う方法で検算す**

る方が安全です。

　また、書いたものの品質を上げるため、書いた本人が確かめるだけではなく、**他人にレビューしてもらう**のも同じ発想です。自分と他人という異なる視点を持った人が見ることで、書いたプログラムや文章のまちがいを見つけ、品質を上げることができるのです。

あなたも、考えてみましょう

　あなたのまわりを見回して、高い安全性が必要なものを探してみましょう。

- 安全性を保証している要素は複数ありますか。
- 要素を複数にする場合、二要素認証のように、別種類のものを組み合わせることはできますか。

　ぜひ、考えてみてください。

5.3   難読化
——読み難くするメリット

> 　プログラマは、将来の修正に備えて、プログラムを読みやすく書くことをいつも心がけています。しかし、せっかく読みやすく書いたプログラムをわざわざ読み難く変換して**難読化**する場合があります。どうしてそんなことをするのでしょうか。

難読化とは

　プログラムの**難読化**とは、**意図的にプログラムを読み難くすること**です。

　「難読化」は英語で"obfuscation"といいます。また、プログラムを難読化する変換ツールを一般に"obfuscator"といいます。JavaScript Obfuscator Tool[1]を使ってJavaScriptで書かれたプログラムを難読化した例を次ページに示します。確かにたいへん読み難くなっていますね。

　このように難読化を行った場合、人間にとっては非常に読み難くなっていますが、コンピュータにとっては特に読み難くなっているわけではありません。また、難読化の前後で処理内容に違いはありません。

　プログラムには、人間とコンピュータという二種類の読者がいますが、難読化が影響を与えるのは人間に対してのみなのです。

---

[1]　https://obfuscator.io

```
// A small sample.
for (var i = 0; i < 3; i++) {
    console.log("Hello, world!");
}
```

↓難読化

```
var aaa=['rld','Hel','log','\x20wo','lo,'];
(function(Aaa,aAa){var AaA=function(aAA){
while(--aAA){Aaa['push'](Aaa['shift']());}}
;AaA(++aAa);}(aaa,0x19a));var Aaa=function
(aAa,AAa){aAa=aAa-0x0;var aaA=aaa[aAa];
return aaA;};for(var aAa=0x0;aAa<0x3;aAa++)
{console[Aaa('0x2')](Aaa('0x1')+Aaa('0x4')
+Aaa('0x3')+Aaa('0x0')+'!');}
```

難読化の例

難読化の目的

そもそも、どうして難読化を行うのでしょうか。

一つは、**プログラムの処理の内容を隠すため**です。たとえば、製品となったプログラムを解析されること（いわゆるリバースエンジニアリング）を恐れ、技術的なノウハウをライバル会社に知られたくない開発会社が難読化を行おうと考えるかもしれません。あるいはまた、コンピュータウイルスのように、ユーザにとって悪い処理を行いたい人も難読化するでしょう。難読化して、悪意のある処理を行っていることを見破られないようにするためです。

他人による**プログラムの改竄を防ぐため**に難読化する場合もあります。プログラムが読みやすくなっていれば、その一部を改竄して別の処理をさせやすくなるからです。

Webページで動作するJavaScriptで書かれたプログラムは、ユーザのコンピュータにダウンロードされ、Webブラウザ上で動

作します。いわばユーザの手元で動作するわけですから、ユーザに
プログラムを読まれることは原理的に防げません。そのために難読
化のような変換が意味を持ってくるのです。

　ただし、すぐに想像できるように、難読化したプログラムを元に
戻す難読化解除ツールも存在します。それは"deobfuscator"と呼
ばれています。難読化と難読化解除とは、いわゆる「いたちごっ
こ」をしているわけですね。

難読化の変換処理

　プログラムの難読化はどのように行うのでしょう。

　難読化の変換処理ではまず、コメント、空白、改行などを除去し
ます。これらはプログラムの動作に影響を与えないからです。

　その上で、関数名や変数名などの名前を、まったく無意味なもの
に変換します。オブジェクトの**同一性**さえ保持されていれば、たと
え名前が無意味であっても、プログラムの動作に影響を与えないか
らです。

　さらに難読化では、文字列定数をすべて配列に入れて扱うよう変
換することもあります。プログラムに書かれた文字列定数は処理を
読み取る大きな手がかりになりますから、配列経由で間接的にアク
セスし、わかりにくくするのです。

　また難読化では、実際のプログラムに不要な処理を挿入する場合
もあります。この結果、難読化したプログラムは一般に、実行時間
が長くなり、サイズも大きくなります。

難読化と似た技術

　難読化と似ている技術に**暗号化**があります。暗号化は、鍵を持っ
ている人以外には情報を完全に隠すことを目的としています。それ
に対して難読化は、単に読み難くするだけであって、情報を完全に
隠しているわけではありません。

　また、難読化と似ている技術として、通信量を減らすために

JavaScript のプログラムを小さくする **minifier** というツールがあります[1]。Google Closure Compiler[2] や UglifyJS なども同様です。

minifier は難読化と同じくコメント、空白、改行などを除去するため、結果的にプログラムは読み難くなります。しかし、minifier の目的は小さくすることであって、読み難くすることではありません。先ほどと同じプログラムを minifier を通すと、次の一行になります。

```
for(var i=0;i<3;i++)console.log("Hello, world!");
```

日常生活と難読化

日常生活にも難読化は存在します。たとえば、自分の子供に**ネット専用の愛称**をつけている人はよく見かけます。それは「子供の名前を不特定多数がいるネットでさらしたくはないけれど、SNS などで話題にしたい気持ち」があるからですね。子供が生まれて、その子供が大きくなって、その子供が学校に入って……ということを話題にする場合に重要なのは、あくまで子供の同一性であって、本名かどうかではありません。これはちょうど、プログラムの難読化で変数の名前の同一性だけが重要であるのに似ています。

ある人は、他人に知られては困る本に**おもしろくなさそうな別の本のブックカバー**を掛けておくそうです。本の存在は隠さないけれど、誰も手に取らないようにしているのですね。

契約書類には**購入者**にとって**不利益な内容が小さな字で書かれている**場合があります。これは、購入者に読ませたくないという販売者の意図が現れたもので、難読化と同じ発想にあります。不動産取引で重要事項説明が定められているのは、難読化を解除するためといえます。

---

[1] https://javascript-minifier.com/

[2] https://closure-compiler.appspot.com/home

　またたとえば、たばこの包装の主な面積の50%以上に「健康に関する警告文」を記載することが定められています。これも難読化の解除に相当します。

あなたも、考えてみましょう

あなたのまわりを見回して、読み難いものはありますか。

● それは、たまたま読み難くなっているのでしょうか。それとも意図的に読み難くされているのでしょうか。
● 読み難いことは、誰にとってどんなメリットをもたらしているでしょう。
● また、存在や同一性は隠したくないが、内容だけを隠したいとき、難読化を使うことはできませんか。

ぜひ、考えてみてください。

5.4 中間者攻撃
——間に入って二重になりすます

> 通信する二人の間に攻撃者が入る**中間者攻撃**では、通信がすべて攻撃者を通過します。このとき通信を暗号化しても無力です。攻撃者は二重のなりすましをしているからです。

中間者攻撃とは

　中間者攻撃とは、**通信している二人の間に攻撃者が入り込み、通信内容を盗聴したり改竄したりする攻撃**を表すセキュリティの用語です。通信している二人の中間に攻撃者がはさまる形になるので中間者攻撃という名前が付いています。英語では"man-in-the-middle attack"といいます。日本語でもマン・イン・ザ・ミドルといったり、頭文字を取って"MITM"といったりします。

　ここでは通信を行う二人をAとBとし、攻撃者をXと呼ぶことにしましょう。A, B, Xを人間だと考えるとイメージしやすいですが、実際には人間とは限りません。通信を行うA, Bや攻撃者のXはいずれもプログラムかもしれません。

　通信を行うときには当然ながら「正しい相手」と通信したいわけですから、何らかの認証が必ず入ります。Aは通信相手が正しいBであることを確認し、Bは通信相手が正しいAであることを確認するということです。

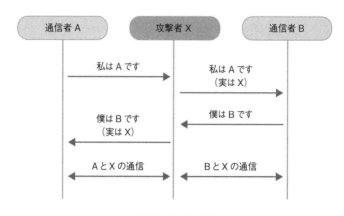

中間者攻撃の模式図

　中間者攻撃を行う攻撃者 X は、その認証のプロセスに介入します。X は、A と B の通信の間に入り込んで次のように振る舞います。

- A に対しては B として振る舞う。
- B に対しては A として振る舞う。

すなわち X は、A に対しては B になりすまし、B に対しては A になりすますという**二重のなりすまし**を行うのです。

　X がこのような二重のなりすましを行うことで、A と B の通信はすべて中間にいる X を経由することになります。X はそこで通信内容を読んだり（盗聴）、通信内容を変更したり（改竄）できるのです。

　中間者攻撃は認証のプロセスに介入していますので、通信経路の暗号化は中間者攻撃の防御にはなりません。A と X の間、X と B の間という二つの通信経路がそれぞれ暗号化されていても、中間に存在する X はすべての通信を自由に盗聴・改竄できるからです。

中間者攻撃の例

　本物サイトと通信する偽サイトは、中間者攻撃における攻撃者
Xとなります。偽サイトXは、本物サイトAの画面をコピーして
ユーザBに見せ、だまされたユーザBが入力した情報を本物サイ
トAに転送することで攻撃が成立します。

　これをユーザ側で防ぐのはきわめて困難ですから、偽サイトX
にはアクセスしないというのが基本になります。具体的には、重要
なWebサイトにはメールなどでやってきたリンク経由でアクセス
せず、自分が信頼しているブックマークからアクセスすることです。

　また、**不正なWiFiルータ**は、中間者攻撃における攻撃者Xと
なります。WiFiルータは、ローカルなネットワーク上にいるコン
ピュータをグローバルなインターネットに接続します。手元のマシ
ンをAとし、インターネットのWebサーバをBとすると、WiFi
ルータはAとBを繋ぐための存在といえます。

　世の中には、最初から盗聴や改竄を目的として設置されている悪
意のあるWiFiルータが存在します。また、悪意のないWiFiルー
タであっても、ソフトウェアの脆弱性を突かれてウイルスに感染し
盗聴や改竄を行うプログラムを仕込まれているWiFiルータもあり
ます。よくわからないWiFiルータには接続しないことや、サーバ
とクライアントでのエンド・ツー・エンドの認証を行うことなどが
防御策となります。

日常生活と中間者攻撃

　映画『ミッション：インポッシブル／ゴースト・プロトコル』で
は、リアルな中間者攻撃を仕掛けるシーンが描かれました。トム・
クルーズ扮するイーサンが、核兵器発射制御装置の制御コードをテ
ロリストから奪い返す場面です。

　AとBとが取引を行おうとしています。

- Aは、ダイヤモンドを持っていて制御コードがほしい。
- Bは、制御コードを持っていてダイヤモンドがほしい。

AとBとの取引の中間にイーサン（X）が入り込みます。Xは制御コードとダイヤモンドのどちらも持っていません。しかし、

- Xは、Aから受け取ったダイヤモンドをBに渡すことでAになりすまします。
- さらにXは、Bから受け取った制御コードを偽の制御コードにすりかえてBになりすまし、Aに渡そうとします。

XはAに対してはBになりすまし、Bに対してはAになりすましており、これはまさに中間者攻撃といえます（映画ではこの攻撃によって世界を救うことになります）。

　日常生活ではしばしば代理人を立てる場面があります。代理人はまさに通信する二人の間に入る存在ですから、もしも**悪意を持った代理人**がいたら中間者攻撃が成立してしまいます。

　たとえば、消費者Aが商店Bで買い物をするときに代理人Xにお願いするとしましょう。Xは、Aから受け取ったお金をBに渡し、Bから受け取った商品をAに渡す流れになります。もしもXが実際よりも高い偽りの価格をAに提示して**差額を着服**したなら、それは中間者攻撃となりますね。AがBに価格を直接尋ねなければ、差額の着服には気付かないでしょう。

　これと似た構造ですが、顧客Aからプロジェクトを請け負い下請けBに仕事を丸投げするタイプの会社Xは、しばしば中間者攻撃をしている攻撃者にも似た状況を生み出します。いわゆる**中間搾取**ですね。

　ある店舗では、ショッピングした後の支払で、顧客が渡したクレジットカードを持ったまま店員がいったん裏の事務室に引っ込んで、カード処理を行ってから戻ってくるシステムになっている場合があ

ります。筆者は、そういう店舗で買い物をしたときにはいつも中間者攻撃のことを考えてしまいます。つまり、私（A）とクレジットカード会社（B）が通信を行うときに、この店員（X）が間に入っていることを意識するのです。

あなたも、考えてみましょう

あなたのまわりを見回して、自分が通信（何らかのやりとり）をしている場面を探しましょう。

- その通信相手が本物であるという保証はあるでしょうか。
- 通信の途中に悪意のある中間者が割り込む危険性はありませんか。
- また、自分の代理人となっている存在を探しましょう。その代理人は信頼できる存在でしょうか。
- もしもその代理人が悪意を持ったら、どんな攻撃がなされる危険性があるでしょうか。

ぜひ、考えてみてください。

5.5 DoS 攻撃
——あふれる要求でサービスを止める

> サービスが持っているリソースは有限ですから、DoS 攻撃によって、あふれるほど大量の要求がきたらサービスが止まってしまいます。

DoS 攻撃とは

DoS 攻撃とは、**大量の要求によって、サービスのリソースを消費し尽くす攻撃**のことを意味するセキュリティ用語です。

"DoS"（ドス）は"Denial of Service"（サービス拒否）の略語で、多くの場合"o"は小文字で表記されます。

典型的な DoS 攻撃は、一つの Web サーバに対して連続的にアクセスを繰り返したり、大量のデータを送りつけたりする行為です。アクセスを繰り返すのは「数の攻撃」で、大量のデータを送りつけるのは「量の攻撃」ともいえるでしょう。

Web サーバはクライアントからの要求に応えるように作られていますが、応答できるキャパシティ（容量）は無限ではありません。要求に応えるためにはネットワーク帯域、メモリ、ディスク資源などのリソースが必要だからです。リソースを消費し尽くすと、Web サーバの反応速度が極端に遅くなったり、エラーになったりするでしょう。そうすると、攻撃者以外のユーザはその Web サーバにアクセスできなくなります。

ここでポイントとなるのは、DoS 攻撃がきわめて容易だということです。DoS 攻撃は「機密性」への攻撃ではなく「可用性」への攻撃ですから、攻撃者は難しい暗号を解いたりする必要はありません。攻撃者は、サービス提供者が公開している窓口に通常通りのアクセスをします。ただし、そのアクセスしている数や量が非常に多

いというだけなのです。

DDoS攻撃

　攻撃を行うクライアントがたった一台ならば、サービス提供者の防御は比較的楽です。異常な要求を行ってくるクライアントのみをアクセス拒否してしまえばいいからです。

　しかし、DoS攻撃が分散化された**DDoS攻撃**を防ぐのは難しくなります。"DDoS"というのは "<u>D</u>istributed <u>D</u>enial of <u>A</u>ccess"（分散型DoS）の略で、DoS攻撃が多数のクライアントから行われるような攻撃のことです。

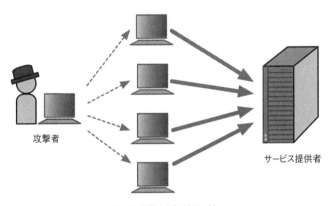

攻撃者

サービス提供者

DDoS攻撃（分散型DoS）

　攻撃者はDoS攻撃を行うにあたり、攻撃用に多数のクライアントを用意します。そして、攻撃者の命令でそのクライアントがいっせいにDoS攻撃を開始するのです。DDoS攻撃は、店舗に多人数で押し寄せるような攻撃で、原始的といえば原始的ですが、それだけに防ぐことは難しいといえます。

　このときに攻撃者は多数のコンピュータが必要になりますが、そのコンピュータを攻撃者が所有している必要はありません。コン

ピュータウイルスなどを介して前もって世界中のコンピュータに自
分のプログラムを違法に配置しておき、攻撃者の命令（あるいは特
定の日時）で自動的に「DoS攻撃を開始」する方法が考えられるか
らです。この場合、攻撃を受けたサービス提供者は攻撃元を特定す
ることは難しくなるでしょう。というのは、自分のサービスとは無
関係な世界各国のユーザからアクセスされることになるからです。

DRDoS攻撃

DDoS攻撃の中で、さらに巧妙な攻撃として**DRDoS攻撃**とい
うものがあります。"DRDoS"というのは、"<u>D</u>istributed <u>R</u>eflective
<u>D</u>enial <u>o</u>f <u>S</u>ervice"（分散反射型DoS）の略です。

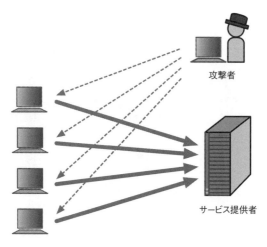

DRDoS攻撃（分散反射型DoS）

DRDoS攻撃では、「リクエストに対して自動的に応答を返す」と
いうネットワークプロトコルが悪用されます。まず、攻撃者は、自
分が攻撃したいサービス提供者のコンピュータになりすまします。
そして、非常に多数のコンピュータ（攻撃対象ではない）に対して

「応答を要するリクエスト」を発行します。そのリクエストを受け取った多数のコンピュータは、ネットワークプロトコルに従い、悪意なく無邪気に応答を返します。ただし、その応答を返す相手は、攻撃者ではなく、攻撃者がなりすましたサービス提供者です。その結果、無邪気な多数の応答がサービス提供者に襲いかかることになります。あたかも光が鏡で反射されるように、攻撃者のリクエストが多数のコンピュータで反射されることになるので、分散反射型と呼ぶのです。

日常生活とDoS攻撃

　DoS攻撃は私たちの日常生活でもときおり見かけます。

　迷惑メールは受信者に対するDoS攻撃になります。いやがらせのメールや、しつこい宣伝メールが大量にやってくるなら、本来コミュニケーションを取りたい相手からのメールに対応することが難しくなるでしょう。迷惑メールは、受信者のメール処理能力というリソースを消費させていることになります。防御のためには、迷惑メールをフィルタリングすることや、そもそも不用意にメールアドレスを公開しないことも大切です。

　これは犯罪ですが、攻撃対象になりすまし、ネットショップを使って**不愉快な商品を送りつける行為**はDoS攻撃で、しかも反射的と考えられます。

　カスタマーサービスに対して**大人数で電話を掛ける行為**は、結果的にDDoS攻撃になる場合がありますね。会社にとって「ユーザに電話で応対する」というのはたいへんコストが掛かることですから、各社とも負荷分散をするように工夫がなされています。Webサイトに「よくある質問」を掲載したり、電話番号は掲載せずにWebフォームだけのサポートにするなどです。

　大規模災害があったとき、**被災地に物品を送る行為**がしばしば問題になる場合があります。古着や千羽鶴などが全国から被災地に送られてきて、ただでさえ逼迫している現地のリソースが消費されて

しまうのは、DDoS攻撃といえるでしょう。しかもこの場合、送っ
ている側は善意のつもりなので対策はやっかいです。十分に注意し
ないと、報道機関はDRDoS攻撃の「攻撃者」となりかねません。

あなたも、考えてみましょう

　あなたのまわりを見回して、たくさんの相手からアクセスされ
るものを探してみましょう。

●あまりにもたくさんの相手からアクセスされてしまい、結果
　的にDoS攻撃のようになりそうなものはありますか。
●そのときに消費されるリソースは何でしょうか。
●あるいは、分散している無邪気なユーザへの不用意な指示に
　よって、はからずもDDoS攻撃やDRDoS攻撃が生まれてし
　まうことはないでしょうか。

ぜひ、考えてみてください。

第6章
正しく判断する

この章では、いかにして**正しく判断する**かを考えます。

- ◉頭でいくら考えてもわからない場合があります。そんなときには**A/Bテスト**で実際にやった結果で判断する方法があります。
- ◉性能比較をするときに、基準がぐらぐらしては正しい比較はできません。**ベンチマーク**を意識しましょう。
- ◉判断の前には現在の状況を評価する必要があります。評価基準を明確にする**評価関数**は作れないでしょうか。

6.1 A/Bテスト
――実際に比較して判断する

Webサイトの全体を一気にリニューアルすると、かえって使いにくくなることもありますし、何が改善されたか不明確になることもあります。**A/Bテスト**を使えば、継続的な改善を着実に積み重ねることができます。

A/Bテストとは

A/Bテストとは、Webサイトなどで**一部を変更した二つのバージョンを実際に公開して比較し、どちらが優れているかを調べる技法**のことです。

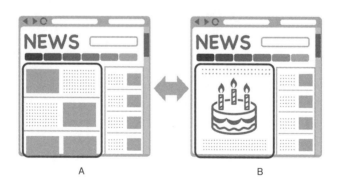

A/Bテスト

A/Bテストの簡単な例は次のようなものです。Webサイトで会員登録のページを作るとしましょう。

- デザイン A は文章で詳しく内容を説明します。
- デザイン B は画像を中心にして内容を説明します。

A/B の二つのバージョンを実際に用意し、アクセスしたユーザにはどちらか一方のバージョンをランダムに提示します。一定期間の後、どちらの方が登録率が高かったかを調べ、より登録率が高いデザインを採用するのです。

　実際のユーザを使った実験を行い、よりよい成果を上げた方を採用しますので、A/B テストを繰り返していけば Web サイトが次第によいものになっていくことが期待されます。

　米国のオバマ元大統領の選挙チームは、Web サイトやメールを使って行った選挙キャンペーンで数百回に上る A/B テストを行い、寄付金による資金調達金額を大幅にアップさせたそうです。

　A/B テストは主に Web マーケティングや広告メールで使われる用語ですが、それに限ったものではありません。ソフトウェアやサービス全般でも使われますし、ネットではなくリアルな商品開発でも使われます。

A/B テストのポイント

　「二つのバージョンを用意してどちらが優れているかを調べる」というと当たり前のように聞こえますが、話はそれほど単純ではありません。

　目的を持ち、計測して比較するというのは A/B テストの重要なポイントです。Web サイトの改善をしようと考えるとき、多くの人はデザインを何となく変えたり、「こうした方がいいんじゃないか」という思いつきで導線を変えたりします。でもそれでは、変更が効果を生んだかどうか、はっきりしません。

　A/B テストでは、明確な目的を持って計測して比較します。明確な目的とは、たとえば特定のページからの離脱率を下げる、登録率を上げる、滞在時間を上げるなどです。A/B テストを行うとき

には必ず計測を行い、目的の効果を上げたのはどちらのバージョン
であるかを確かめます。そのために A/B テストを行う専用ツール
が多数存在します。

　一度に一つだけの変更を比較するというのも A/B テストの重要
なポイントです。Web サイトの改善というと、サイト全体を一気
に変更する「リニューアル」を想像しがちです。でも、リニューア
ルには、どれだけの効果があるか不明というリスクがあります。ま
た、リニューアルには、これまで慣れてきたユーザを戸惑わせる
リスクもあります。「Web サイトがリニューアルで使いにくくなっ
た」という声はよく耳にしますね。

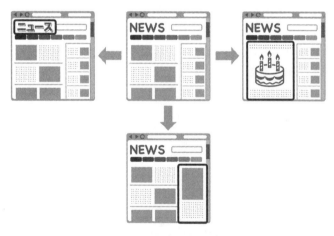

一度に一つの変更を行って比較する

　A/B テストでは、一度に一つだけの変更を行い、その変更が効
果を上げたかどうかを調べます。たとえば、ボタンの大きさ、ボタ
ンの色、キャッチコピーの文面、バナー画像のテイストなどを一つ
一つ別にテストするのです。一つ一つの変更が生み出す改善効果は
小さなものかもしれませんが、それはリスクが小さいことも意味し

ます。

継続的に改善していくというのは関連したポイントです。Web
サイトを大規模リニューアルしてしまうと、その後しばらくはリ
ニューアルしにくくなるでしょう。時間もコストも掛かりますし、
「リニューアルばかりしている」という印象をユーザに与えてしま
うからです。

A/Bテストでは、小さな改善を継続的に積み重ねていきます。
一つ一つの改善は小さなものですが、それを積み重ねて次第に大き
な効果を上げることを期待します。小さな変更なので、効果が上が
らなければその改善を止めることも容易です。それは時代の動きに
スピーディに対応しやすいということでもあります。

現実のユーザで試すというのも忘れてはいけないポイントです。
Webサイトの運営は現実世界の問題ですから、「こうすれば絶対に
うまくいく」という理論は考えにくいでしょう。天才的な開発者が
いたとしても、時々刻々変わるユーザの感覚に追従するのは困難と
いえます。

A/Bテストでは、現実のユーザで効果を測定します。ですから、
たとえ理由がはっきりはわからなくても「こちらを選べば少し良く
なる」という事実をつかむことができます。

A/Bテストの注意点

A/Bテストも万能ではありません。そもそもアクセス数が少な
かったり、少数のユーザしかいなかったりする状態では、偶然のゆ
らぎを排除することが難しくなります。その場合にはA/Bテスト
を使って「どちらがいいか」を明確に判定することは難しいでしょ
う。

A/Bテストの本質は統計的仮説検定です。ですから、得られた
データを元にどちらがほんとうにいいかを正しく判断するためには、
統計的な知識が必要になります。すでに使われているバージョンは
統制群にあたり、一部を変更したバージョンは実験群にあたります。

A/B テストは継続的な改善を行うものですが、ベースとなる Web サイトがあまりにもひどい場合、A/B テストで改善することは難しいでしょう。

日常生活と A/B テスト

私たちの日常生活で A/B テストの考え方が使えるときはあるでしょうか。自分の生活では、ユーザが一人（自分自身）であることが多いので、A/B テストが使える場面は少なそうです。でも、自分が毎日行っている行動を改善することには使えそうです。

たとえば、朝の**通勤電車で混雑を回避**したいとします。通勤電車で何両目に乗るのがいいか、何時の電車に乗るのがいいかという改善はできるでしょう。A/B テストのときと同じように目的を定めて計測するのがいいですね。早い電車に乗れば空いているけれど、朝の睡眠時間が短くなってしまう。自分にとって改善したいポイントを定めて実験するのは意味があることです。

毎日繰り返し行っている作業の改善には A/B テストを利用できそうです。Web サイトのリニューアルのように、作業のフローを一気に変えるのはコストもリスクも高くなります。また「慣れ」の問題がありますから、大きな変更はおっくうになるでしょう。しかし、作業の中で小さな一点に絞り、「これまで通りの場合」と「変更した場合」を比べてみるのは有意義です。ちょっとした改善でも、毎日の積み重ねは少なくないからです。また「大きく変更しなければ改善できない」という意識を変える役にも立つでしょう。

あなたも、考えてみましょう

あなたのまわりを見回して、毎日繰り返している行動を探してみましょう。

- その一部を変更して改善するかどうか計測して確かめることはできませんか。
- 一気に「リニューアル」するのは難しいとしても、少しずつ継続的に改善することはできませんか。

ぜひ、考えてみてください。

6.2 ベンチマーク
――基準を決めて比較する

基準がぐらぐら動くような状況では正しい比較はできません。
ベンチマークのような動かない基準が必要になります。

ベンチマークとは

ベンチマーク(benchmark)とは、**性能を調べるために基準とす
るデータやプログラムのこと**です。

ベンチマークという言葉はもともと、測量士の使っていたベンチ
に由来し、水準測量で標高の基準となる「水準点」を意味してい
ます。IT 業界では、その意味から転じて、ハードウェアやソフト
ウェアなどの性能を調べるために基準とするデータやプログラムの
ことを一般にベンチマークと呼びます。

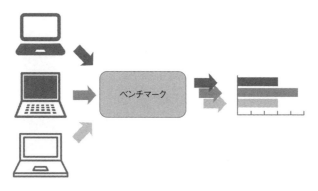

ベンチマークを使って性能を比較する

たとえば、UL Benchmarks 社の製品 **3DMark** はハードウェア

の有名なベンチマークで、PC からモバイルまでの幅広い機器について 3D グラフィックの性能を調べることができます[1]。3DMark が出力する「3DMark Score」というスコア（点数）を比較することで、ハードウェアの性能を比較することができるのです。

　また、非営利団体 **SPEC** は、CPU の整数演算から Web サイトまで多様なベンチマークを作成・提供しています[2]。

　ベンチマークという用語は、主にスピードのような性能を調べるための基準に対して用いられます。それに対して、機能を満たしているかどうか、あるいは特定の規格に適合しているかどうかを調べる際には、**テストスイート**や**コンプライアンステスト**といった別の用語が用いられます。

　なお、業界によってベンチマークという用語の意味は異なります。IT 業界では「基準」の意味で使われますが、たとえば金融業界でベンチマークというと「投資信託が運用の指標にする値」を意味します。利益の良し悪しを判断するという意味では「基準」ですが、ベンチマークの値は変化していきます。自動車業界でベンチマークというと「目標とする完成度の高い車」を意味します。

ベンチマークの必要性

　ベンチマークはどうして必要なのでしょうか。

　たとえばコンピュータのハードウェアにはクロック周波数、コア数、メモリ量といったスペック（仕様）があります。しかし、個々のスペックが最終的なユーザ体験にどのように結びつくかを判断するのは難しいものです。また、ハードウェア A と B を比較するときも、あるスペックは A が良く、別のスペックは B が良いとなると、結局どちらが良いか比較しにくくなるでしょう。

　ベンチマークという基準を用いれば**総合的な指標**を得ることがで

き、より適切な判断が期待できます。

　ゲーム会社が、自社ゲームのためのベンチマークを提供する場合もあります。それは、ユーザがゲームを購入する際に総合的な判断材料となるからです。

　また、自作ハードウェアの性能を競う場面でも、ベンチマークは共通の基準を提供することになります。世界中の自作ハードウェアのベンチマークを比較するランキングサイトもあります。

ベンチマークに必要な要素

　ベンチマークに必要な要素をいくつか列挙してみましょう。

　ベンチマークが測定するものが**適切な指標**である必要があります。そのベンチマークが謳っている内容に沿った指標を示すことができないなら、適切なベンチマークとはいえません。

　またその指標は**他者が検証可能**であるべきでしょう。ですから必然的に、示される指標が**理解可能**で**透明**であることも必要になります。ベンチマークが示す指標が何に由来しているものかが明確になっているということです。

　ベンチマークの結果は、製品の販売に大きなインパクトを与えますからベンチマークを作成する会社の**中立性**も必要になります。要するに、そのベンチマークが確かに信頼に値するとユーザが確信できることが大切です。

　考えてみれば当然の話で、判断の基準が信頼できずぐらぐらしていたら、正しい判断はできませんからね。

　ところでベンチマークの信頼性とは逆に、ベンチマークを動作させる機器の信頼性も大切です。というのは、ベンチマークを動かすときだけ特別な処理を行ってスコアアップを狙う機器があるからです。このような行為は**ベンチマークブースト**などと呼ばれ、非難の対象となります。

日常生活とベンチマーク

　ベンチマークを、比較・判断のための指標を提示する動かない基準と考えるなら、日常生活のあちこちでベンチマークに相当するものが見つかります。

　日曜大工で使う**水平器**は、横になった透明な管の中に、一つの気泡を持った液体が封入されている器具です。床や家具に水平器を当て、気泡が管の中央に位置するかを見て、その面が水平になっているかどうかを判断するのです。これはベンチマークに相当する器具といえます。

　私たちがふだん使う**体重計**もベンチマークとなりますね。最近の体重計は体重だけではなく、体脂肪率、内臓脂肪率、筋肉量など体組成に関わる多くの測定を行います。最終的に「体内年齢」のような指標まで示してくれます。体内年齢の値につい一喜一憂してしまいますが、先日体重計を買い換えたときに値がまったく違った結果になり、納得できなかった経験があります。

　教育の場面では、いわゆる**偏差値**がベンチマークのような扱いを受けることがあります。つまり、試験結果の偏差値を、学力を判断する基準としがちということです。しかし、試験を受ける母集団が変われば、同じ人間が受けたとしても偏差値は大きく変動します。偏差値の意味をよく理解しないと、正しい判断はできません。その由来を理解し、統計的な知識がなくては偏差値をベンチマークとして使うことはできません。

あなたも、考えてみましょう

あなたのまわりを見回して、性能を比較・調査している状況を探してみましょう。

- 水準点のように動かない基準となるベンチマークは見つかるでしょうか。
- そのベンチマークが示す指標は適切でしょうか。
- そのベンチマーク自身の信頼性はあるでしょうか。

ぜひ、考えてみてください。

6.3 評価関数
——評価方法を明確に

> プログラムがオセロゲームを行うとき、盤面の状況を入力と
> する**評価関数**を使って、現在自分がどのくらい優勢なのか評価
> します。評価方法が明確になっているので、よりよい判断を下
> せるのです。

評価関数とは

評価関数（evaluation function）とは、**与えられた情報を元に、
良し悪しを評価する関数**のことです。評価関数は、ゲームを行うプ
ログラムに対してよく使われる用語ですが、必ずしもゲームに限っ
たものではありません。

ゲームの評価関数

プログラムが、人間を相手にオセロゲームをする例を使って説明
しましょう。ゲームが進むにつれて盤面は変化します。プログラム
は、現在の盤面を元にして自分（プログラム自身）がどれだけ優勢
かを計算し、評価値にします。ここで使われているのが盤面の評価
関数です。「現在の盤面」が評価関数に与える情報（入力）であり、
「得られた評価値」が評価関数の出力です。

評価関数は多くの場合、複雑なアルゴリズムを使うのではなく、
盤面の石の位置から静的な計算によって評価を行います。その点を
強調して静的評価関数と呼ぶこともあります。

プログラムは現在の盤面から自分の「次の一手」を選ぶために探
索を行います。こういう手を打ったら、相手はどうするだろうか。
別のこんな手を打ったら、相手はどうするだろうか。そのように、
さまざまな手の可能性を考えます。その各段階での盤面の優劣を評

価関数によって評価し、最善手と判断した手を毎回選択するのです。

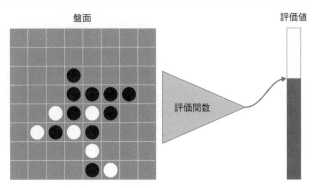

現在の盤面から、評価関数で評価値を計算する

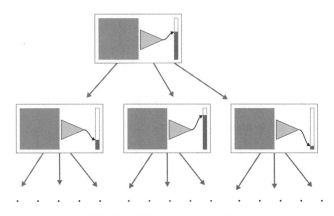

評価関数を利用して、最善手を探索する

　このように、評価関数はゲームを行うアルゴリズムにおいて重要な部品の一つになります。評価関数は、盤面を正確に評価する必要があると同時に、スピーディに評価しなければなりません。正確さとスピードとは**トレードオフ**の関係になります。

　筆者も作成したことがありますが、オセロゲームの最も単純なプ

ログラムは、評価関数だけで動くものです。盤面の各位置に最初から評価値を割り振っておき、各局面では、置ける位置の中で最高評価値の場所に石を置くという単純なプログラムになります。たとえば、四隅に最高の評価値を与えておけば、四隅に置けるタイミングでは四隅に置くことになります。まったく探索をせず「ここが手の最適な場所だ」と判断することになりますが、意外に強いプログラムになります。

組版の評価関数

文書の**組版**を行うソフトウェア TeX では、入力された文字列の文字間を調整し、ページの各行を構成する必要があります。文字間が空きすぎてもいけませんし、詰まりすぎてもいけません。また、ある行が美しく組版されていても、その影響で次の行の組版が汚くなってしまっては困ります。どの行をどれだけ美しく組版するかは**トレードオフ**の関係になります。TeX は、各行がどの程度美しいかを評価関数を使って評価し、その評価値を元に文字間を調整しているのです。

評価関数の意義

ところで「与えられた情報を元に、良し悪しを評価する」なんて、当たり前に感じます。評価関数をわざわざ考える意義はどこにあるのでしょうか。

第一の意義は、**判断プロセスが明確になる**ことです。評価関数を定義するためには、状況を評価する部分と判断する部分とを分割することになります。評価関数はあくまで現在の状況を評価して、評価値を得るもの。そして、その評価値を元にして判断を下します。このように判断プロセスの各段階が明確になるのです。

第二の意義は、**判断を再現しやすくなる**ことです。判断プロセスが明確化されると、同じ状況に対して、同じ判断が下されることになります。ということは、同じ状況での判断のゆらぎが少なくなり、

安定した判断を下せるようになります。判断がいきあたりばったりではなくなるということです。

　第三の意義は、**判断を改善しやすくなる**ことです。評価関数による評価は万能ではありません。そして、評価関数が適切な評価値を出さなければ、それを元にした判断も狂ってくるでしょう。逆に、適切な評価値を出すように評価関数を改善するならば、判断も改善されるでしょう。そう考えると、評価関数が期待通りの評価を行っているかどうかという「評価関数そのものの評価」も大切になってきますね。

日常生活と評価関数

　私たちの生活はいたるところに評価があります。学校の成績の評価や、試験の評価、大学の合否、会社での人事評価は誰しも気にするところでしょう。ただし、それがすべて評価関数のように明確化されているとはいえません。透明性や公平性を必要とする場合には評価関数が定まっていることは重要でしょう。すべての評価が数値化できるとは限りませんが、評価した結果によって何かを判断する場合には、どこかの時点で結局は数値化していることになります。

　私たちは「**コスパ**が良いものを買おう」という判断をすることがあります。コスパ（コストパフォーマンス）は、商品から得られる効用をプラス要因とし、商品に支払うコストをマイナス要因とする評価関数の一種といえます。効用とコストを天秤にかけてコスパが良いかどうかを評価し、それを元に買うかどうかを判断するのです。しかし、コスパの良いものを買おうとするあまり、自分が使いもしない商品を購入してしまうこともあるでしょう。これは、「自分が使うかどうか」という情報を評価関数への入力項目としていなかったミスといえますね。

あなたも、考えてみましょう

　あなたのまわりを見回して、何かを評価して判断を下す場面を探してみましょう。

- その評価における「入力」は何で「出力」は何でしょうか。
- その評価における入力は正しく与えられているでしょうか。
- 評価方法を、評価関数のような形で明示的に表現することはできるでしょうか。
- その評価を元にした判断プロセスに再現性はありますか。
- さらに、その評価方法が誤っていないかどうかを評価する方法はあるでしょうか。

ぜひ、考えてみてください。

第7章

連携プレーをスムーズに

　この章では、複数の作業者がどのように**連携プレーをスムーズに**行うかを考えます。

- ●複数の作業者が互いに相手を待ってしまうと、どちらも動けなくなる**デッドロック**が発生しますので、うまく回避しましょう。
- ●作業を開始する**ブートストラップ**は手順が難しいものです。依存関係に注目し、最初に必要なものを考えることが大事です。
- ●みんながきちきちと仕事することが常に良いとは限りません。「何もしない仕事」にも意味があります。**アイドル**という状態を意識しましょう。

7.1 デッドロック
──お互いに相手を待ったら動けない

　複数の作業者は、協調して動く必要があります。ところが、お互いが相手を待ってしまうと、どちらも動けなくなる**デッドロック**という状態が生まれます。どうすればそれを回避できるでしょう。

デッドロックとは

　デッドロック（deadlock）とは、複数の動作主体が、**複数のリソースを取り合った結果、動作を続けられなくなった状態**のことです。「動作主体」と抽象的な言い方をしましたが、コンピュータではスレッドやプロセスであることが多く、実社会ではチームや人間などになります。

　デッドロックの説明でよく使われるたとえ話をしましょう。

　ＡとＢの二人がテーブルについて食事をするとします。テーブルにはフォークとナイフがそれぞれ一本だけあり、食事をするためにはその両方を必要とします。

　Ａがフォークを取ると同時にＢがナイフを取った瞬間、この二人はデッドロックになります。

* Ａは、Ｂがナイフを手放すのを待つ。
* Ｂは、Ａがフォークを手放すのを待つ。

これで「お見合い」の状態となり、二人は動作を続けられなくなるからです。これがデッドロックです。

デッドロック

　このようなコメディタッチの食事は、協調動作の説明で使われる
たとえ話で、「食事する哲学者の問題」と呼ばれています。AとB
の二人は動作主体を表し、フォークとナイフは動作主体が必要とす
るリソースを表しています。

　複数の動作主体が複数のリソースを取り合うというのは、よくあ
る状況です。たとえばA, Bという二つのプログラムがあり、Aは
銀行口座XからYに送金し、Bは逆にYからXに送金するとしま
しょう。プログラムAはいったんXをロックして自分以外の誰も
アクセスできない状態にし、続けてYをロックしようと試みます。
プログラムBは逆にYをロックしてからXをロックしようと試み
ます。

- Aは、Bがロックを解除するのを待つ。
- Bは、Aがロックを解除するのを待つ。

これで、先ほどの食事と同じデッドロックが起こっていることがわ
かるでしょう。

デッドロックの回避

デッドロックを回避するための方法はいろいろあります。

一つは**タイムアウト**を使う方法です。たとえば、「10秒待っても
フォークとナイフの両方を確保できなかったら、いったん自分が確
保したものを手放し、再度トライする」という方法です。動けなく
なってから時間が過ぎると自分が確保したものを手放すことになる
ので、「動けなくなる」状態から抜け出せます。

しかし、AとBの二人が同じ回避策をとってはだめです。なぜ
なら、二人が同時に再度トライするため、さっきとまったく同じよ
うに「相手が手放すのを待つ」状態に陥るからです。動けなくなる
というデッドロックは回避できましたが、今度は**スターベーション**
（starvation）という「動いているけれどリソースが確保できない状
態」に陥ってしまったことになります。これを避けるためには、再
度トライするまでの時間をランダムにするなどの工夫が必要です。

デッドロックを回避するために**対称性を崩す**という方法もありま
す。たとえば、「フォークとナイフでは、必ずフォークを先に取る」
のように、リソースに順序を付けてしまうのです。このようにすれ
ば、AとBの両方ともフォークをまず取ろうとするので、デッド
ロックは防げます。

あるいはまた、デッドロックを回避するために**リソースをまとめ
る**という方法もあります。フォークとナイフを別々に確保するの
ではなく、「食器セット」という一つのリソースにまとめてしまい、
それ一つを確保するという方法です。これでデッドロックを防ぐこ
とができますが、動作主体とリソースがたくさんある場合に一般化す
ると、リソースの利用効率が悪くなるという問題が起こるでしょう。

いずれにせよ、複数の動作主体が複数のリソースを必要とする場
合には、デッドロックが起きないかどうか、起きた場合の対策はど
うするかを考える必要があります。

日常生活とデッドロック

　日常生活で起きるデッドロックとして、信号のない道の**交通渋滞**が考えられます。一つの道を自動車 A で抜けようとしたら、前方に自動車 B が止まっていて動きが取れない。ところが自動車 B が止まっているのはそのさらに前方に自動車 C が止まっているから。そして自動車 C が動くのを阻んでいるのは自動車 D で、それを自動車 A が止めている……という状態です。通常、交通量が多いところには信号が設置され、信号がどちらの方向を優先するかを決定して、デッドロックを回避します。

交通渋滞

　二人の作業者が**両方とも相手からの連絡を待つ状態**もデッドロックを引き起こします。二人の人がどちらも「相手から情報がやってきたら、自分の作業を進め、完成したら相手に情報を送ろう」と考えてしまったら、いつまでたっても話が進まないことになります。このデッドロックを回避するには、タイムアウトを使う（一定期間が過ぎたら相手からの情報を待たずに作業を進める）、二人の対称性を崩す（リーダー的な人を配置する）などの方法があるでしょう。もちろん、より根本的な解決策としては、仕事をどのように進める

かを事前に話し合っておくことでしょう。

　作業者が少ないうちはデッドロックの発見は難しくありません。でも、共同で作業している人数が多くなってくるとデッドロックを見つけるのは難しくなります。また、デッドロックとまではいえなくても、無駄な待ち時間が発生するのはよくあることです。イラストに示した交通渋滞のように全体を俯瞰することができれば、ばかばかしい事態が起きていることはわかりますが、多くの場合、個々の作業者は自分のまわりしか見ることができません。リーダー的な存在が俯瞰的に作業の流れを見て、交通整理をしなくてはいけませんね。

あなたも、考えてみましょう

　あなたのまわりを見回して、「複数の作業者がいるのに思ったほど効率が上がらない」という状況を探してみましょう。

- 複数の作業者の間で、互いに相手を待つ状況は起きていませんか。
- 待ち状態が発生したときの対処法を作業者に伝えることはできませんか。
- 作業者同士の対称性を崩して、効率を上げることはできませんか。

ぜひ、考えてみてください。

7.2 ブートストラップ
——処理を始めるための処理

作業を進めるときには、順序や依存関係が大事になります。特に、作業を開始するときには**ブートストラップ**を意識した特別な作業が必要になります。必要なものがまだ揃っていないかもしれないからです。

ブートストラップとは

ブートストラップ（bootstrap）とは、**電源を入れたコンピュータが起動し、OS が実行を開始し、通常のプログラムを読み込んで実行できる状態になるまでの一連の処理**のことです。

ブートストラップという言葉はもともと、「ブーツを履くときに指でつまんでひっぱり上げる小さなつまみ革の部分」を意味しています。

靴を引っ張るためのつまみ革（ブートストラップ）

つまみ革がどうしてコンピュータの起動に関係しているかという

と、英語には「自分の靴のつまみ革を引っ張って自分自身を引っ張り上げる」というパラドックス的な慣用表現があるからです。

コンピュータがプログラムを実行するためには、ハードディスクなどからメモリ上にそのプログラムを読み込む（**ロードする**）必要があり、そのためには macOS, Android, Linux, Windows といった OS が必要になります。

しかし、その OS 自身もプログラムの一種であることを考えるなら「電源を入れた直後の、OS がまだロードされていない状況で、OS をどうやってロードするか」という問題が生じることがわかります。ニワトリを得るにはタマゴが必要だけど、タマゴを得るにはニワトリが必要だという「ニワトリタマゴ問題」と同じですね。

コンピュータの起動時にはこのようにパラドックス的な状況が起きるため、それを解決する一連の処理を特別にブートストラップと表現するのです。

ブートストラップは、**ブート処理**や単に**ブート**と呼ぶこともあります。コンピュータを再起動することは**再ブート**や**リブート**などと呼びます。

ブートストラップのパラドックス的な状況は、**ブートローダ**と呼ばれる特殊なプログラムによって解決されます。ブートローダは電源を切っても消えることのない読み込み専用メモリ（ROM）上に置かれており、電源を入れるとまずブートローダが自動的に実行され、OS をメモリ上に読み込んで実行する処理を行うことになります。

実際のブートローダは多段階になっています。ROM 上にあるのは最低限の機能だけを持ったブートローダで、それがより複雑な機能を持ったブートローダをロードします。そしてロードされたブートローダが OS を読み込むという、まるで多段ロケットの打ち上げのような手順を経ることになります。

依存関係の解決

ブートストラップのことを考え、「プログラムをロードするため

のプログラムをロードする」様子を想像するとき、私たちは**依存関係はループしてはだめ**ということを理解します。

「A を実行するには B が必要」というとき、「A は B に依存している」といえます。この依存関係はしばしば「A → B」という矢印で表現されます。もしも「A → B → C → A」や「A → A」のように依存関係がループになると、何も実行できなくなってしまいますね。依存関係をループ状ではなくツリー状（木の形をした状態）にしなければ、ブートストラップもできません。

何にも依存せず実行できる ROM 上のブートローダは、ツリー状になった依存関係の根っこに相当するといえるでしょう。

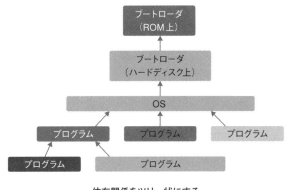

依存関係をツリー状にする

日常生活とブートストラップ

靴を引っ張って自分を引き上げるのは無茶だとすぐに気付きます。なぜなら、自分を引き上げるためには足場が必要ですが、その足場を作るためには自分を引き上げておく必要があるからです。ループですね。

ところで、日常生活ではブートストラップをよく考えずに失敗す

ることがしばしばあります。作業を進めるときには「何がどういう順序で必要になるか」を前もって考えておかなければなりません。さもないと、依存関係のループを作ってしまう危険性があるからです。

　大きな作業は一人ではできませんから、作業してくれるメンバーがたくさん必要になります。そのときに、**メンバーを集める作業にもメンバーが必要**ということに注意しなくてはいけませんね。大きなチームを瞬時に作ることはできませんから、まずはメンバーを集めるための作業をこなしてくれるメンバーを集める作業が必要になります。最初のメンバーを集める作業は、ブートローダをロードする処理のようなものといえます。

　コンピュータが不調でネットにアクセスできないと、非常に困ります。それは**ネットにアクセスする対処法を調べるためにもネットが必要**なことがよくあるからです。依存関係のループを除くためには、電話で誰かに聞いたり、別のマシンを用意したりという作業が必要になるでしょう。

　似た状況として、こんなこともあります。キーボードから日本語が入力できなくなったときの対処法を検索したいが、そもそも**「日本語が入力できない」という検索をするためには日本語の入力が必要になる**という場合です。ちなみにこれには「nihongoganyuuryokudekinai」とローマ字で入力すれば検索できるというすばらしい対処方法があります。

あなたも、考えてみましょう

　あなたのまわりを見回して、依存関係が複雑な作業を探してみましょう。

- 依存関係がループ状になっている箇所はありませんか。
- 依存関係を整理して、ツリー状にすることはできませんか。
- 最初に処理しなければいけない作業を特別扱いして対処することはできませんか。

　ぜひ、考えてみてください。

7.3 アイドル
──「何もしない」をする

実質的な仕事をしていない**アイドル**という状態を考えましょう。仕事をしないのは無意味なようですが、考え方をシンプルにし、スムーズな応答を実現できる効果があります。

アイドルとは

アイドル（idle）とは、**実質的な仕事を何も行っていない状態**を表す用語です。「プロセスがアイドル状態にある」のように使い、技術用語としては、OS のタスク、プロセス、スレッドなどに対して幅広く使われるものです。

英単語の"idle"は「怠けている」という状態を表す形容詞です。ちなみに、人気者の「アイドル」は"idol"なのでまったく違う単語です。

Windows でタスクマネージャを使うと、現在動作しているプロセスの一覧を見ることができます。各プロセスが消費している CPU 時間を調べると、マシンを「重い」状態にしているアプリケーションが見つかります。この一覧には、アイドルプロセス（idle process）や、システムアイドルプロセス（system idle process）と呼ばれるプロセスがよく表示されます。アイドルプロセスは「CPU を 98 パーセント消費」していたりするので、ネット掲示板などで「このプロセスは何でしょうか」という質問がよく登場します。

Windows のアイドルプロセスは、CPU が実行するプロセスが他に何もないときに便宜的に実行されているプロセスです。ですから、アイドルプロセスが 98 パーセントの CPU を消費しているというのは、逆にいえば CPU は 98 パーセント空いているということになります。アイドルプロセスは Windows に限らず、複数のプロセ

スを扱う多くの OS にあります。たとえば Linux でも、実行可能な
プロセスがなくなったときに実行権が与えられるアイドルプロセス
があります。

　アイドルプロセスは実質的な仕事を何もしないプロセスです。実
行可能なプロセスが何もないときに実行状態になり、他のプロセス
が実行状態になったら引き下がるだけの動作をします。

アイドルプロセスのメリット

　アイドルプロセスは実質的な仕事を何もしないプロセスです。で
も、そんなプロセスにどんなメリットがあるのでしょうか。

　プログラムの**場合分けが少なくなってシンプルにできる**のは大き
なメリットです。マルチプロセスで動作する OS の場合には、スケ
ジューラが複数のプロセスを管理します。実行可能なプロセスが存
在しているとき、スケジューラは一つのプロセスに実行権を与えま
す。もしもアイドルプロセスというものを用意していなかったら、
「実行可能なプロセスがゼロ個か、そうでないか」で場合分けしな
ければならなくなります。これはプログラムを複雑にしてしまいま
す。しかし、アイドルプロセスがあれば「実行可能なプロセスは常
に存在する」といえますので、プログラムが単純になります。

　アイドルプロセスは「何もしていないということを表す仕事」を
明確にしているといえますから、いうなれば、アイドルプロセスは
数字のゼロのようなものです。ゼロが「何もないということを表す
数」だと考えれば、納得がいくでしょう。

　アイドルプロセスがあれば、実行権が与えられているプロセスが
必ず存在することが保証されますから、プログラムをシンプルにで
きます。「場合分けが少なくなる」とは、「特別扱いが少なくなり、
一貫性が保たれ、構造がシンプルになる」と言い換えることもでき
るでしょう。

アイドル状態

アイドルプロセスから、アイドルという状態の方に注意を向けてみましょう。アイドル状態というのは「実質的な仕事を何もしていない状態」のことです。たとえば、自動車を止めてエンジンを動かしている状態のことを**アイドリング**（idling）といいますが、これはまさにアイドル状態といえます。自動車はもともと場所を移動するための機械ですが、場所を移動するという実質的なことを何もしないけれど、エンジンは動いている状態だからです。

アイドル状態は停止状態とは違います。エンジンをアイドリングしていれば、自動車を移動したいと思ったときにすぐに移動することができます。しかし、アイドリングしていなければ、まずはエンジンを掛けるという一手間が掛かります。つまり、実質的な仕事を何もしていなくても、アイドル状態にしておくことは**レスポンスタイム**（応答時間）を短くするのに役立っているのです。

日常生活とアイドル

日常生活でのアイドルについて考えてみましょう。

窓口業務のように、いろんな人からの依頼を受ける業務では、アイドルプロセスやアイドル状態ということが直接的に意味を持ちます。**依頼を待っている状態**とは、実質的な作業をしていないアイドル状態です。自分がアイドル状態であることを意識して、いつでも依頼を受けられる準備をしておけば、依頼を受けたとき、すばやく応答できるでしょう。

あるいはまた、自分のスケジュールが多くの予定でぎっしりの人は、わざと**アイドルな予定**を入れるという案はどうでしょう。意識的に「予定が何もない予定」を入れておくのです。そのようなアイドルな予定は、自分の作業の**バッファ**として働いてくれるかもしれません。また、もしも、そのようなアイドルな予定をまったく入れることができないとしたら、それは忙しすぎる証拠でしょう。アイ

ドルプロセスが CPU の何パーセントを使っているのかが忙しさの
指標になるように、自分がどれだけアイドルな状態をキープできて
いるかを自分の忙しさの指標と考えるのもいいでしょう。

あなたも、考えてみましょう

あなたのまわりを見回して、多数の人が活動を行っている状況
を探してみましょう。

- 「実質的な作業を何もしない作業」を新たに作ったら何が起
 きるでしょう。
- あるいはまた、「実質的な作業を何もしない人」を新たに配
 備したらどうなりますか。

ぜひ、考えてみてください。

第8章

品質を上げる

この章では、どうやって**品質を上げる**かを考えます。

- ◉作るものの品質を上げるためには、作っている本人も実際に使う**ドッグフーディング**を行うのが有効です。
- ◉品質を上げようとがんばるのは結構ですが、がんばりすぎてはいけません。**オーバーエンジニアリング**になってしまうと逆効果です。
- ◉データ形式が妥当であることをチェックする**バリデータ**があると、データ形式を統一するときに役立ちます。

8.1 ドッグフーディング
──自分が作るものを自分が使う

> 開発者が作るサービスを、その開発者自身は使っているでしょうか。自分が作るものを自分が使う**ドッグフーディング**は品質向上と宣伝広報に役立ちます。

ドッグフーディングとは

ドッグフーディング（dogfooding）とは、**開発しているサービスを、その開発者みずからが使用すること**です。

ドッグフーディングという用語の語源については諸説ありますが、「ドッグフードを宣伝している人が飼っている犬は、本当にそのドッグフードを食べているだろうか」という話が中心のようです。

この用語には二つのポイントがあります。一つは「**品質向上**としてのドッグフーディング」で、もう一つは「**宣伝広報**としてのドッグフーディング」です。

宣伝している人は、本当にそれを使っているか

　ドッグフーディングは**品質向上**に役立ちます。良いサービスを開発するためには顧客のニーズや、既存のサービスへの不満を調査することが必須です。ドッグフーディングを行って、開発者が自分のサービスを使うなら、その調査は自動的に行われることになります。自分がサービスのユーザなので、ニーズに応え不満を解消する方向へ自然に向かうことになるでしょう。

　ドッグフーディングは**宣伝広報**にも役立ちます。本当に良いサービスなら、多くの人が使いたいと思うでしょう。でも、もしも開発者自身がそのサービスを使っていないとしたら、「本当に良いサービス」といえるのか、疑問符が付きますね。逆に、開発者自身がそのサービスを使っているなら、「ああ、これは本当に良いサービスなんだろうな」と他者へのアピールになります。

　IT業界ではドッグフーディングがよく行われます。それは、プログラミングをはじめとする開発活動では、自分が使うツールやサービスを自分で作ったりカスタマイズしたりすることがもともとよくあるからです。また、開発者自身が必要に駆られて作り社内で使っていたサービスを、完成度が高くなったので社外に展開するというパターンもあるでしょう。

ドッグフーディングと当事者意識

　会社の改善活動では、**当事者意識**という用語がよく使われます。たとえば、「トラブルを目にしたとき、他人事だと思わずに当事者意識を持って解決にあたりなさい」といった使い方です。

　ドッグフーディングは「当事者意識を持つ」よりも一歩進んで「当事者になってしまう」ことだといえます。サービスが向上すれば開発者自身の役に立つし、サービスが悪ければ開発者自身が困る。これはまさに当事者になった状態といえますので、うまくはまればサービスの改善に直結するでしょう。

ドッグフーディングの危険性

開発者にとって、ドッグフーディングを行うことはサービスの品質向上に役立ちます。また、サービスを受ける側にとっても、ドッグフーディングを行っているサービスを使うことに安心感があります。

しかし、どんなことも万能ではありません。ドッグフーディングにも危険性があります。

一つは**自社サービスに慣れてしまう危険性**です。自社サービスを使い続けている開発者は当然ながらそのサービスに慣れることになります。ということはそのサービスを使い始めたばかりでまだ慣れていないユーザの戸惑いや混乱、サービスのわかりにくさを理解することが難しくなるかもしれません。

もう一つはその裏返しで**他社サービスの理解不足になる危険性**です。自社サービスを使うのが当たり前になると、他社サービスを使う機会が少なくなってしまうでしょう。そうなると、ドッグフーディングが目指している顧客の立場に立つという状態から離れてしまうことになります。なぜなら、顧客は多くのサービスを比較・検討して自分の使うサービスを選択しようとするからです。

さらに**顧客と開発者にずれがあった場合の危険性**も考えられます。ドッグフーディングによってサービスが改善されるのは、本来の顧客が感じる不満点と、開発者が感じる不満点に共通部分が多いときです。しかし、もしも顧客と開発者の感覚にずれがあったなら、開発者が行うサービスの改善は見当外れのものになってしまうでしょう。その場合にはドッグフーディングは逆効果ということになります。

日常生活とドッグフーディング

先日、情報バラエティ番組で**医者が自分で行っている健康法**特集を放映していました。医者は患者の健康を守るのが仕事ですが、自分自身の健康はどう守っているのか。医者が自分自身に対して行っている健康法には確かに興味がそそられます。それは、専門家が自

分の健康を守るためにやっていることなので、効果に信頼性がありそうだと感じるからでしょう。これは、宣伝広報としてのドッグフーディングに近いですね。

　食料品の安全性が問題になる出来事があると、**政治家がその食料品を食べてみせる**映像が報道番組で流れることがあります。これは、食料品の安全性を直観的にアピールする良い方法だと思います。本当に安全だと確信できなければ、自分が食べてみせるなんてできないだろうと感じるからです。これも、宣伝広報としてのドッグフーディングに当たります。

　筆者はたまに講演を行うことがありますが、その際にはできるだけ**事前に聴衆席に座って音響効果やスクリーンの見え方を確かめる**ようにしています。聴衆席に座ることでサービスを受け取る立場に身を置き、問題がないかどうかを確認するためです。講演に限りません。自分が販売しているメールマガジンや電子書籍を自分で購読してみるのも有効です。そのドッグフーディングの中で、筆者はたくさんの不具合を見つけましたし、読者が勘違いしそうな点にも気付くことができました。これは、品質保証としてのドッグフーディングそのものですね。

　相手が受け取るものは自分も受け取ってみるし、相手が使うものは自分も使ってみるというドッグフーディングの精神は、どんな場面でも、どんな人にも適用できます。たとえばメールひとつにしても、自分が送ったメールを改めて読み直してみることはメール作成を上達させるものです。

あなたも、考えてみましょう

あなたのまわりを見回して、開発現場や宣伝を探してみましょう。

● 製品やサービスを、開発者は実際に使っているでしょうか。
● 宣伝の中で、開発者本人が出てくるものはあるでしょうか。
● あなた自身は、自分の提供しているものをドッグフーディングしているでしょうか。

ぜひ、考えてみてください。

8.2 オーバーエンジニアリング
——がんばればいいというものじゃない

> 旅行に出かけるとき、旅先で困ったらいやだからといって荷物を過剰に持っていくのは**オーバーエンジニアリング**です。今度は重すぎるトランクで困ることになってしまうからです。

オーバーエンジニアリングとは

オーバーエンジニアリング（overengineering）とは、ソフトウェアに対して**必要以上の機能性、信頼性、保守性、堅牢性、柔軟性などを与えようとすること**です。求められているよりも過剰な品質を与えようとすることともいえます。

通常、オーバーエンジニアリングは良くないこととして扱われます。「品質は高ければ高いほどいいんじゃないのか、がんばって品質を高くすることがどうして良くないのか」と考える人もいますが、それは誤解です。というのはほとんどの場合、ソフトウェアというのは数多くの**トレードオフ**から成り立っているからです。品質特性の一つを必要以上に上げると、別の品質特性が下がる危険性があります。

ソフトウェアの開発では、モジュールに分解してインタフェースを明確化するのは良いと考えられます。なぜなら、移植性が高まり、テストもしやすくなり、保守性がよくなるからです。しかしながら、物事には程度というものがあります。モジュールを細かく分解しすぎると今度はモジュールの数が多くなりすぎて、逆に保守性が下がってしまいます。

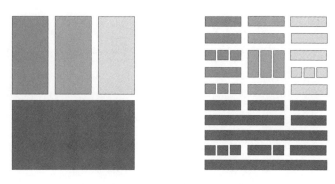

モジュールを分解すると、モジュールの数が多くなる

　また、ソフトウェアに外部からアクセスできる API を用意すると、将来の仕様変更に備えて拡張性を高めることになります。それ自体は悪いことではありませんが、これもまた程度問題です。あまりにも多種類の要求に応える API を用意してしまうと、実際に使う可能性の低い拡張のために複雑性が高まってしまいます。

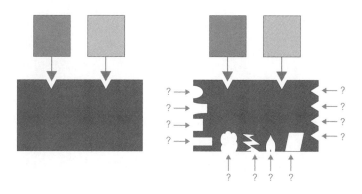

多種類のAPIを用意すると、複雑性が高まってしまう

オーバーエンジニアリングを戒める原則

　オーバーエンジニアリングを戒める原則は、ソフトウェアの業界にたくさんあります。

　たとえば、エクストリームプログラミングには YAGNI と呼ばれる原則があります。YAGNI とは "You ain't gonna need it."（そんなものは必要ないよ）のアクロニム（頭文字をとった単語）で、「機能追加は、実際に必要になってから行おう」という方針を表現しています。「もしかしたらいつか、こういう機能も必要になるかもしれないから追加しておこう」という誘惑に対して「**そんなものは必要ないよ**」と戒めているのです。機能追加を行うと複雑性が増すために開発スピードが低下する上に、結局その機能は必要にならなかったりしますね。

　また、UNIX 哲学には "Do One Thing and Do It Well."（一つのことを、うまくやれ）というものがあります。これもまた、安易な機能追加を戒めるものといえるでしょう。

オーバーエンジニアリングの原因

　オーバーエンジニアリングが起きる原因はいくつかあります。

　開発者が、ソフトウェアへの**要求から離れて技術そのものを追求**してしまったためにオーバーエンジニアリングになることがあります。「このような技術を使った方がスピードアップする」や「こういう設計の方が堅牢になる」とがんばりすぎて、品質が過剰になってしまうのです。

　不確かな未来のすべてに備えようとしてオーバーエンジニアリングになることもあります。他のプラットホームに移植する予定がないにもかかわらず、それが起きたときに備えて移植性を過剰に高めてしまう場合があります。また、用途や使用期間が限られているのに拡張性を過剰に高めてしまうのも、不要な未来に備えようとしているわけですね。

　製品に対する**浅い理解**がオーバーエンジニアリングの根底にある
原因かもしれません。その製品の目的、ユーザ層、動作するプラッ
トホーム、ライフサイクルなどがどうなっているかを理解しないと、
オーバーエンジニアリングが起きてしまうでしょう。

日常生活とオーバーエンジニアリング

　オーバーエンジニアリングは、日常生活でもよく見かけます。

　旅行に出かけるときに、旅先で必要になったら困るからといって
あれもこれもトランクに詰めた結果、**過剰な荷物**になってしまうの
はオーバーエンジニアリングですね。過剰な荷物になるのは、旅行
に対する「浅い理解」からといえます。旅慣れしている人は、旅先
で本当に必要になるものをよく知っているので、荷物がコンパクト
になります。筆者は、旅先で仕事をするときに「もしかしたら必要
になるかもしれないから」といってパソコンを複数台とケーブル類
を持っていき、荷物がふくれすぎてしまったという経験があります。

　試験勉強するときに、試験でどんな問題が出るかわからないから
不安だといって、**何冊も問題集を買い込む**のもオーバーエンジニア
リングっぽいですね。問題集が多ければ確かにカバーする範囲は広
くなるかもしれませんが、自分がその全部をこなせるかどうかとい
う別の不安要因が出てきます。

　私たちは未来を見通すことができませんから、将来に備えて保険
に加入します。しかし、**過剰な保険**はオーバーエンジニアリングの
可能性があります。実際には起こりそうもないこと、また起きたと
してもそれほど大きな損害にはならなそうなことに対して備えるの
は問題でしょう。あれにもこれにも備えようとすると、保険料が馬
鹿にならなくなるからです。ここには確かに**トレードオフ**がありま
すね。

あなたも、考えてみましょう

　あなたのまわりを見回して、オーバーエンジニアリングしてしまっているものがないか探してみましょう。

- 「浅い理解」のまま「○○したら困るから」と考え、トレードオフを忘れた過剰な準備になっているものはありませんか。
- 「実際のところ、そんなものは必要ないよ」と言える部分はないでしょうか。

　ぜひ、考えてみてください。

8.3 バリデータ
——機械的に形式をチェック

データ形式が妥当であることをチェックする**バリデータ**があると、データ形式を統一するときに役立ちます。

バリデータとは

バリデータ（validator）とは、**データ形式が妥当かどうかをチェックするプログラムの総称**です。データが与えられたとき、そのデータ形式が妥当（valid）になっているかどうかを調べるのがバリデータの役割です。データが妥当ならば OK と答え、妥当でないならどこに誤りがあるかを教えてくれるのが普通です。バリデータは単独で動作するプログラムの場合もありますし、プログラムの一部として組み込まれ、入力や出力チェックに使われることもあります。

たとえば、簡単な例では HTML などのマークアップ言語のバリデータがあります[*1]。ユーザが HTML ファイルを入力すると、対になるべきタグの片方が欠けていることや、使われている要素名や位置が妥当かどうかをバリデータが教えてくれます。

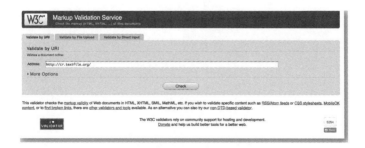

w3.org の HTML バリデータ

　複雑な例としてはTwitterのカードバリデータがあります[2]。
Twitterではいくつかのmetaタグが定義されており、HTML中に
適切に記述すると、そのリンクをツイートしたときにサムネイル画
像やリッチメディアを効果的に表示してくれます。Twitterのカー
ドバリデータは、Twitterが定めるmetaタグが正しく記述されて
いるかを調べてくれるのです。

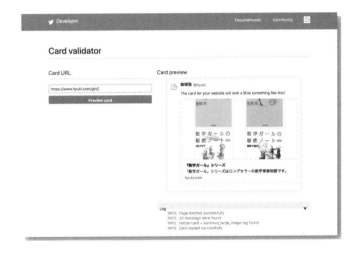

Twitterのカードバリデータ

データ形式を揃える二つの方法

　バリデータはあくまでデータの「形式」だけをチェックするもの
です。データの「内容」や「意味」や「価値」に踏み込んでチェッ
クするわけではありません。それでも、バリデータがあれば、正し
い形式のデータの流通に大きく貢献するでしょう。

─────────────
＊1　https://validator.w3.org
＊2　https://cards-dev.twitter.com/validator

　一般に、データ形式を揃えるには二つの方法があります。

　ひとつはデータを生成するプログラム、すなわち**ジェネレータを固定**する方法です。ジェネレータを固定してしまうというのは、HTMLでいうならば、Webページ作成ツールを一つに決めてしまうということです。確かに、ツールを一つに決めてしまえば、誰が作ろうとも生成されるデータ形式を揃えることができるでしょう。しかし、ツールを一つに固定してしまうのはユーザに不便を強いる結果になることもあります。ツールが固定されるというのは、HTMLのようにオープンな規格を使うメリットを捨てることにもなります。

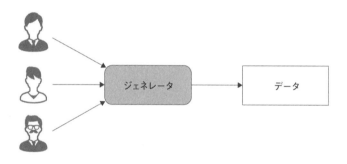

ジェネレータを固定して、データ形式を揃える

　データ形式を揃えるもう一つの方法は、データ形式を検証するプログラム、すなわち**バリデータを用意**する方法です。

　バリデータを用意するというのは、データ形式を揃えるためのいい方法です。ジェネレータは何でもいい、どんなやり方でデータを作成してもいい、ただし、必ずこのバリデータがOKを出すようにしなければならない。そのようなルールを定めておけば、データ形式を揃えることができます。この場合、データを生成するジェネレータは何でもいいし、誰がどんな方法で作ってもかまいません。チェックするのはできあがったデータ形式だけである、という発想

です。こうすれば、多様なユーザを受け入れることができます。

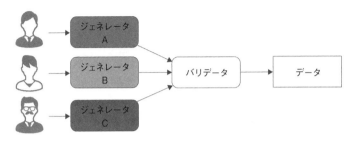

バリデータを用意して、データ形式を揃える

バリデータと教育効果

　バリデータには教育効果もあります。たとえば、HTML の書き方を一通り学んだ人がいるとしましょう。その人が HTML ファイルを作成するごとにバリデータに掛けてチェックを行ったとします。そうすると、バリデータが妥当性をチェックしてくれるので、自分の HTML に対する理解が正しいかどうかをチェックできるのです。

　自分の作った HTML が正しいかどうかを人間にチェックしてもらうにはコストも時間も掛かります。でもバリデータを使うなら、自分が納得いくまで何回でも修正とチェックを繰り返すことができるでしょう。バリデータは、どんなに馬鹿なミスをしても笑ったり怒ったりしません。自分の理解を深めるために、わざとまちがった記述を試すこともできるでしょう。これは人間相手にはやりにくいことですね。

日常生活とバリデータ

　コンピュータの世界ではバリデータの存在は普通のことですが、日常生活ではどうでしょう。

　最も近いのは**入学試験**でしょうか。一定のテストを入学志望者に

課して、成績上位の人のみを入学させるというのは、入学試験が一種のバリデータの役割を果たしているといえます。入学試験によって一定の知識や一定の能力があることを担保し、入学後の教育がスムーズに進むことを期待する効果があるでしょう。

　もしかすると、本番の入学試験に対する**模擬試験**の方がバリデータとしての意味合いは重要かもしれません。本番の入学試験は一回限りですが、模擬試験を何回も行って、自分が十分な学力を持っているかどうかを判断するのです。

　製品の出荷試験では、バリデータに相当するものが必ずあるはずです。人間が直接確認する場合もあるでしょうし、出荷時のチェックリストが用意されることもあるでしょう。また、全自動で機械的にチェックするかもしれません。いずれにせよ、これこれこういう理由により試験をパスしたということが明確になっていないとまずいですね。

　ソフトウェアとしてバリデータが作れるというのは、**何が妥当であるかが明確になっている**ともいえます。「人間が目で見てOKとする」という属人的なものではなく、形式的に、機械的にチェックできるかどうか。機械的にチェックできるくらいまで、妥当性の条件が明確になっているか。バリデータが作れるかどうかは、人間が暗黙のうちに持っている知識すなわち「暗黙知」が適切に「形式知」に変換されているかに直結しているといえるでしょう。

あなたも、考えてみましょう

　あなたのまわりを見回して、形式が妥当であることをチェックする場面があるかどうか探してみましょう。

- そのチェックは人間が行っているでしょうか、それともソフトウェアが行っているでしょうか。
- バリデータの役割を果たすソフトウェアが作れるほど、妥当性チェックを形式知として整理することはできますか。

　ぜひ、考えてみてください。

第9章
エラーに対処する

　エラーは必ず起きるもの。この章では、**エラーに対処する方法**を考えます。

◉踏切の遮断機は、壊れたときに下がったままになります。壊れたときに遮断機が上がってしまったら危険だからです。壊れるならば安全側に倒せ。これが**フェールセーフ**の発想です。

◉ファイルが壊れているかどうかを調べるのに、壊れる前のファイルを保存しておくわけにはいきません。ディスク容量が二倍必要になってしまうからです。**チェックサム**という小さな数を使ってチェックしましょう。

◉必要な情報（シグナル）と不要な情報（ノイズ）が混在していると、探し物が難しくなります。シグナルを高くするか、ノイズを低くして情報の品質を上げましょう。これは**S/N比**を意識していることになります。

◉知識に重複があると互いに矛盾する恐れがあります。重複を避ける**DRY**原則を意識してエラーを防ぎ、メンテナンスの手間を減らしましょう。

9.1 フェールセーフ
──壊れるときには安全側に倒せ

> 踏切の遮断機は、壊れたときに下がったままになります。こ
> れは**フェールセーフ**の発想から正しい設計です。壊れたときに
> 遮断機が上がってしまったら危険ですからね。

フェールセーフとは

　フェールセーフ（fail safe）とは、**システムが壊れるときには安全
側に倒れるようにする設計**のことです。フェールセーフのフェール
（fail）は失敗や故障という意味で、セーフ（safe）は安全という意
味です。

　ここでは「壊れる」という表現を「うまく機能しない」という非
常に広い意味で使っています。ソフトウェアであれ、ハードウェア
であれ、何らかの原因でうまく動作しないことはあるものです。こ
れはいわばシステムが「壊れた」ことになります。そのようなとき、
システムがどんなふうに壊れるのがよいのか。安全側に倒れる、す
なわちシステムが壊れることで関係者に被害が及ばないようにする
というのが、フェールセーフの考え方なのです。

フェールセーフの例

　フェールセーフの例はたくさん考えることができます。

　たとえば、フェールセーフの非常に簡単な例として**踏切の遮断機**
を考えましょう。遮断機が故障したときに遮断機が上がってしまう
なら、電車が通過しようとしているのに人や車両が線路を横断して
しまう危険性があります。ですから、遮断機は故障したときには下
がったままになっているべきです。これは簡単なフェールセーフの
例といえるでしょう。ちなみに、遮断機が調査・修理中で下りてい

たのに、作業者が遮断機を手で上げてしまったために事故が発生した事例があるそうです。

　身近な例では、**電気系統のブレーカー**があります。家中に張り巡らされている電気系統のどこかでショートが起き、大電流が流れるという異常事態が起きたとき、ブレーカーが落ちて電気の供給を止めます。電気が供給されないというのはシステムとしては壊れたわけですが、大電流を流し続けていると火事になる危険性がありますから、電気の供給を止めることで、安全側に倒しているわけですね。

　地震が発生したときにコンロやストーブが消えることや、上からものが落ちてきたときに電源スイッチが切れるような方向にトグルスイッチの向きを定めておくことなども、フェールセーフの一種でしょう。

　筆者は学生時代の高電圧実験で、電源がオフになっているとわかっていても、**電線に最初に触れるときには「手の甲」を使う**ようにと指導されたのを覚えています。万一電源がオフになっていなかった場合、「手のひら」の側で電線に触れると、電流のために筋肉が収縮して電線をつかむ形になり、自分の意志で離せなくなってしまう危険性があるとのこと。これもまた、フェールセーフの考え方に基づいているといえます。

　電車の運転では**デッドマン・ブレーキ**という仕組みが使われています。これは、電車の運転を続けるためにはハンドルを握り続けなければならないという仕組みです。デッドマン（死者）という名前の通り、電車の運転士が死亡したり、気を失ったりした場合に自動で電車が止まるようにするためです。これも、フェールセーフの一種です。

フェールセーフの前提

　フェールセーフの話を聞くと誰でも「もっともなことだ。ショートを起こして火事になるよりは電気が切れた方がいいし、異常時に遮断機が上がりっぱなしになるよりは、下りっぱなしの方がいいだ

ろう」と考えます。

　ここで、フェールセーフにしたがった設計を行うためには、大きな前提を認める必要があることに注意してください。その前提とは、**このシステムは壊れる可能性がある**ということです。フェールセーフというのは「壊れたときには安全側に倒そう」という設計思想ですから、壊れる前提を認めることができなければ、フェールセーフの設計を行うことは絶対にできません。

　すなわち、「この機械は壊れません」や「この施設で事故が起きる可能性はゼロです」という主張はフェールセーフと相反するといえます。

セーフの定義

　フェールセーフにおけるセーフ、すなわち安全というのは、よく考えると難しい問題であり、システムごとにきちんと定義しておく必要があります。

　たとえば、内部にコンピュータが組み込まれた**金庫**を想像してみてください。表面にあるボタンで暗証番号を入力すると、金庫が空きます。暗証番号を誤って入力すると、金庫は開きません。ここで、万一この金庫が壊れるとき、システムはどういう振る舞いをすべきでしょうか。決して開いてはいけないのでしょうか。それともすぐに開くべきでしょうか。決して開かないとしたら、中のものが盗まれる心配はありませんが、緊急時の取り出しができなくなります。すぐに開いてしまったら、緊急時の取り出しはできますが、中のものが盗まれてしまう危険性があります。

　状況やユースケースによって、どちらの側に倒すのが安全なのかは変わるのです。

日常生活とフェールセーフ

　ここまで述べてきた例も、私たちの日常生活に密着したフェールセーフのものが多かったですね。自分が何かを行うときや何かを作

るときに、フェールセーフの考えはどのように役立つでしょうか。

災害時というのは日常というシステムが壊れた状況です。家族の間で、災害時の集合場所や連絡方法を決めておくというのは、日常生活をフェールセーフにする方法の一つかもしれません。

自分の手帳に自分の住所を書くというのはフェールセーフの観点からどうでしょう。手帳は大切なものですから、万一落としたときに自分に連絡が来るように、自分の住所を書くというのは意味があります。しかし、悪意のある人がその手帳を入手した場合、住所が書いてあったばかりに大きな被害を受ける危険性があるかもしれません。何が正しいか、ここには正解はありません。本人が何をもって「セーフ」と見なすかという設計が必要になるでしょう。

いずれにせよ、**システムが壊れる可能性があることを前提とすることが大切**です。さもないと、フェールセーフの考え方には至らないからです。

あなたも、考えてみましょう

あなたのまわりを見回して、「これが壊れたときにはどうなるか」を考えてみてください。

- フェールセーフの観点から、安全側に倒れるようになっているでしょうか。
- そのときの「安全」とはどんなものでしょうか。
- 「絶対にこれは壊れない」と思っているものはありませんか。

ぜひ、考えてみてください。

9.2 チェックサム
──小さな数で誤りを見つけ出す

メールで受け取ったファイルが、送り主が送ったファイルと同一であるというのは大事なことです。ファイルが壊れていないかを調べるのに、**チェックサム**はよく使われます。

チェックサムとは

チェックサム（checksum）とは、**誤りを検出するためにデータから生成した数**です。チェックサムはサムチェックと呼ばれることもあります。チェックサムは、ファイルが壊れていないかどうか、あるいはネットワークで受信したデータが壊れていないかどうかを確かめるときによく使われます。

UNIX には cksum というコマンドがあり、ファイル名を指定して実行すると、以下のようにチェックサム、バイト数、ファイル名が表示されます。

```
$ cksum important.pdf
41758665 203529795 important.pdf
```

このファイル important.pdf は 203529795 バイトもある大きなものですが、cksum はその内容をチェックサムという一つの数（41758665）に要約しているのです。

もしも、後日同じコマンドを実行したときに、チェックサムの値が別の数に変化していたら、important.pdf のファイルの内容が変化しているといえます。

ファイルの内容が変化したかどうかを確認するだけなら、important.pdf を別ファイル backup.pdf にコピーしておいて、ファ

イルを直接比較するという方法もあるでしょう。しかし、ファイル
が巨大な場合、比較のための別ファイルを保存しておく場所が問題
になりますし、important.pdf を他人から受信したとき、このファ
イルが他人が持っているものと同じかどうかの判定は難しくなりま
す。でも、ファイルといっしょにチェックサムの値も受信すれば、
自分の手元でチェックサムを再計算して比較することで、ファイル
が壊れていないか調べることができるでしょう。

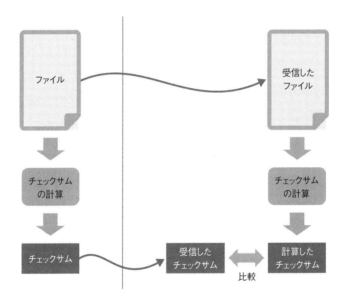

チェックサムを計算して受信したファイルが壊れていないかを調べる

　ここでちょっと注意が必要です。チェックサムが違っていたら、
確信を持って「誤りが存在する」といえます。しかし、チェックサ
ムが同じままであっても、誤りが存在する可能性は残ります。誤り
をどれだけ正しく見つけるかの能力（誤り検出力）はアルゴリズム
によって異なります。

- チェックサムが違っている
  →誤りが確実に存在する。
- チェックサムが同じである
  →誤りは存在しないようだが、もしかしたら存在するかもしれない。

また「誤り検出」と「誤り訂正」の区別も大事です。チェックサムが違っていたら、誤りが存在したことはわかります。これは「誤り検出」です。でも、誤りが存在していることはわかっても、正しいデータがわかるわけではありません。ですから、チェックサムで「誤り訂正」はできません。

チェックサムのアルゴリズム

データから小さな数を生成させて誤りの検出に使うアルゴリズムは多数あります。

最も単純なのは**すべてのデータを順番に加えていき、最後に得られた和を適当な数で割った余りをチェックサムにする**というアルゴリズムでしょう。たとえば、データを1バイトずつ加えていき、和の最下位となる1バイトをチェックサムにするアルゴリズムは、どんなプログラミング言語でも簡単に実装できますね。もともとチェックサムという名前はこのアルゴリズムから来ています（サムは「和」の意味）。このアルゴリズムは単純でそれなりに有効ですが、データの中にいくら0が挿入されてもチェックサムが変化しない点や、データ中でバイト単位の入れ換えが起きてもチェックサムが変化しないという欠点があります。

通信でよく使われるのが**CRC符号**です。CRCはCyclic Redundancy Code/Check の略で、巡回符号の理論を背景に誤り検出力を高めているアルゴリズムです。実際には単純な「和」ではないのですが、慣用的にCRCチェックサムと呼ばれることもあります。cksum コマンドでもCRC符号の一種が使われています。

　暗号技術でよく使われるのは、**メッセージダイジェスト**や**一方向ハッシュ関数**と呼ばれるアルゴリズムです。これは悪意のある第三者が意図的に改竄を行おうとしても、改竄を検出することができるという性質を持っているアルゴリズムです。具体的には SHA-256 や SHA-3 などが使われます。

日常生活とチェックサム

　チェックサムを計算するのはコンピュータのプログラムの仕事ですが、**データそのものを比べる代わりに、別の情報を比べて誤りを検出する**という発想は、日常生活のあちこちに登場します。

　日常生活で誤りを検出するときに、**個数**を確認するのはよく使われる方法です。たとえば、文具店でハサミと付箋紙とノートと万年筆と消しゴムと……とにかく多種類のものを買うとしましょう。購入漏れがないかどうかを確認するため、私たちはよく「個数」を数えます。ぜんぶで 10 個の品物を購入するはずだったのに、カゴに入っているのが 9 個しかないとしたら、何が足りないかはまだわかりませんが、何かが足りないことは確実です。つまり、誤りの検出ができたことになりますね。検出ができれば、実際に買い忘れたのは何だろう？と調べ始めることができます。

　長い数字列の一部を使って誤りを検出することも可能です。たとえば、銀行口座を複数持っていて用途ごとに分けている場合、銀行口座の口座番号をすべて暗記することは現実的には難しいでしょう。でも、末尾の 3 桁を覚えておくことはそれほど難しくはありません。口座をまちがえないようにするため、末尾の 3 桁を使って誤りの検出をするのは現実的な方法です。

　書籍の番号として使われている ISBN-13 (international standard book number) の末尾の一文字は**チェックディジット**と呼ばれています。チェックディジットは最初の 12 桁の数字から計算で得られますので、入力の誤りを検出することが期待できます。入力の誤りを確かめるのに、入力した ISBN そのものを確かめる代わりに、別

途計算したチェックディジットで確かめるのがポイントです。

あなたも、考えてみましょう

あなたのまわりを見回して、「何か」に誤りがないかチェックする状況を探してください。

- そのとき、「何か」を直接チェックしているでしょうか。
- それともチェックサムのように別のルートで得た情報でチェックしているでしょうか。
- また、誤りの「検出」と「訂正」を区別しているでしょうか。

ぜひ、考えてみてください。

9.3　S/N比——シグナルを上げるか、ノイズを下げるか

> 　部屋が散らかっていると、探し物が難しくなります。目的の
> ものを探そうとしても、不要なものが目に入って邪魔になるか
> らです。目的のものをシグナル、不要なものをノイズとすると、
> 散らかっている部屋は**S/N比**が低いといえます。

S/N比とは

　S/N比（エス・エヌ・ひ）（signal-to-noize ratio）とは、電子工学や通信に関する用
語で、**シグナル（信号）とノイズ（雑音）の比**のことです。S/N比
は、通信や機器の品質を評価する指標の一つです。

　S/N比の"S"は注目している情報を意味するシグナル（signal）
の頭文字で、"N"はシグナル以外の情報を意味するノイズ（noise）
の頭文字です。

　S/N比は、シグナルとノイズの量をそれぞれ電力単位で求め、
シグナルをノイズで割った値になります（通常は対数を用いて表現
します）。S/N比が高ければ高いほどノイズに対するシグナルの割合
が大きいことになりますので、通信や機器の品質が高いといえます。

S/N比を上げる工夫

　S/N比はシグナルをノイズで割った値ですから、S/N比を上げ
るには、シグナルを高くするかノイズを低くすることになります。
一般に、シグナルとノイズは混在しますので、単純に増幅しただけ
ではシグナルとノイズの両方を増幅することになり、S/N比は変
わりません。**シグナルとノイズを区別する**ことがどうしても必要に
なります。

　電気的な通信の場合、ノイズが生じる原因はさまざまです。通信

機器に使われる素子から生じるノイズもありますし、熱から生じる
ノイズもあります。ノイズを完全にゼロにすることはできませんが、
ノイズの発生源がわかっている場合にはそれに応じた対策が有効に
なります。

　ノイズが持つ性質がわかっているときには、**ノイズフィルター**を
使ってノイズを減らすことができます。たとえば、ノイズが高周波
成分を多く含んでいる場合には、コンデンサやコイルを組み合わせ
ていわゆるローパスフィルタを構成すれば、ノイズを減らすことが
できます。

　ノイズキャンセリングヘッドホンは、ヘッドホン外部から耳に
やってくるノイズを減らす仕組みを持ったヘッドホンです。ヘッド
ホン外部に設置したマイクが外部からやってくる音をキャッチし、
その位相を反転させた音をヘッドホンから再生することでノイズを相
殺します。外部からやってくる音をノイズと判断しているわけです。

日常生活とS/N比

　私たちの日常生活でも、シグナルとノイズが混在している状況は
あらゆるところにあり、S/N比を高くすること、すなわちノイズ
に対するシグナルの量を増やすことは大切です。多くの場合は「ノ
イズを減らす」ことになりますが、それはとりもなおさず「何がシ
グナルなのか」を意識することにもつながります。

　たとえば、**眼鏡のレンズ**が汚れている状態は、視覚的なノイズが
高いことに相当しますね。レンズについたゴミがノイズで、本来見
たいものがシグナルです。**眼鏡のレンズを拭いてきれいにする**のは、
視覚的なS/N比を上げる行為といえます。

　メールはどうでしょうか。私たちが通常やりとりしているメール
がシグナルだとすると、スパムメールはノイズです。S/N比を高
くするためのノイズフィルタとして、私たちは**スパムフィルタ**を使
います。スパムフィルタは、ノイズすなわちスパムメールの性質を
よく知っていて、適切にスパムメールだけをスパムフォルダに移動

する必要があります。

Twitter のタイムラインを見ていると、タイムラインの S/N 比
を考えたくなります。自分が関心のある話題をツイートする人を
フォローするのはシグナルを上げることに相当し、関心がない話題
をツイートする人をアンフォローするのはノイズを下げることに相
当しますね。また、特定のキーワードをミュートして、特定のキー
ワードを含むツイートを非表示にすることができます。これもまた
S/N 比を上げる効果をもたらします。

チャットで議論をしているとき、議論から外れた話題（いわゆる
「オフトピ」）を持ち出す人がいます。議論に沿った発言をシグナル
としたとき、オフトピの発言はノイズと見なされます。オフトピの
発言をする人に忠告するのは、チャットの S/N 比を上げる発言に
なります。しかし、忠告回数があまりにも多くなると「チャットの
S/N 比を上げる発言」自体がチャットのノイズになってしまいます
ので、なかなか難しいところです。

自分の**部屋**を**整理整頓**して不要なものを処分するのは、生活の中
のノイズを低くする効果がありそうです。部屋を整理したら、必要
なものがすぐに見つかるようになった経験は誰にでもあるでしょう。
これはまさにノイズを低くすることによって S/N 比が高くなった
わけですね。

Web デザインで、ユーザが迷う要素を取り除いたり、まぎらわ
しい色づかいや形状を直したりするのも、ノイズを減らして S/N
比を上げることに相当します。この場合、Web デザインを通して
ユーザに伝えたいことがシグナルです。

酒類の広告などでしばしば「**雑味がない**」という表現が使われる
ことがあります。「ことば談話室」（桑田真）[1] によると、ビールと
異なる材料や製法で作る「第 3 のビール」は「ビールとは違った風
味」すなわち「雑味」を持つため、「雑味がない」ことがセールスポ

---

[1]　http://www.asahi.com/special/kotoba/archive2015/danwa/2010032600001.html

イントになったのだとか。ビールに似ている味をシグナル、それ以外の味をノイズとし、「雑味がない」という表現でS/N比が高いことを意味しているといえます。

　さて、筆者は**カフェ**で仕事をすることが多いのですが、お茶の時間になるとカフェが非常にうるさくなることがあります。うるさくなるのは人が増えるためですが、原因はそれだけではありません。カフェがある程度うるさくなると、同じテーブルにいる人との会話がしにくくなり、みんなが大声を張り上げ始めるからです。

　テーブルごとにS/N比を上げようとしてシグナルを高くする（大声を出す）のですが、その大声は他のテーブルの人にとってはノイズが高くなることを意味します。実はみんなが静かに話せば、カフェ全体のノイズが低くなり、すべての人にとってS/N比が高くなるのになあ……と筆者はよく思います。一つのテーブルにとってのシグナルが他のテーブルにとってのノイズになっていること、すなわちテーブル間の音の干渉が、うるさいカフェの根底にあるといえそうです。

あなたも、考えてみましょう

あなたのまわりを見回して「シグナルとノイズが混在している」状況を探してみましょう。

- 混在しているシグナルとノイズは区別できますか。
- 品質を上げるために、シグナルを上げることはできますか。
- 品質を上げるために、ノイズを下げることはできますか。

ぜひ、考えてみてください。

9.4 DRY——重複を避ける

> 知識に重複があると、互いに矛盾する危険性があります。
> DRY 原則を意識して重複を避けましょう。

DRY とは

DRY（ドライ）とは、"Don't Repeat Yourself" の略で、**一つのシステム内にある知識は、信頼できて曖昧さがない唯一の表現を持つべきであるという原則**のことです。

もっと単純化するなら、

　　重複を避ける原則

といえます。

DRY は書籍『達人プログラマー』[*1] で詳しく書かれ、Web アプリを作成するためのフレームワーク "Ruby on Rails" で採用されて広く認知されるようになりました。もっとも、重複を避けるという原則そのものはそれ以前からも存在しました。

知識の重複を避ける意味

知識の重複は、よくトラブルを生みます。

たとえば、ごく単純な例として、試験の点数を処理するプログラムを考えましょう。

もしも「受験者数」を表す数値が、ソースコードのあちこちに

[*1] Andrew Hunt + David Thomas 著、村上雅章訳、『新装版 達人プログラマー 職人から名匠への道』、オーム社、2016 年（訳書初版は 2000 年）

直接埋め込まれていたらたいへんです。受験者数がたとえば1234
だとして、1234はもちろんのこと、1を引いた1233や、半数を表
す617などが出てくることもあるでしょう。受験者数を変えようと
思ったら、ソースコードのあちこちを矛盾なく修正する必要が生じ
ます。

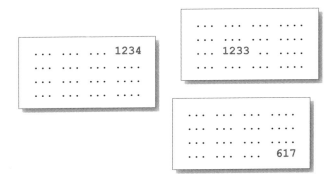

知識が重複している様子

　DRYは知識の重複を避けるという原則です。複数箇所で知識が
必要な場合には、信頼できる唯一の表現を参照します。試験の点数
を処理するプログラムの例でいえば、「受験者数」を DATA_SIZE =
1234 のような定数として、プログラムの一箇所で定義します。そ
して「受験者数」を元にした数値は必ず DATA_SIZE を使って計算
します。このようにすれば、プログラム中の矛盾を避け、メンテナ
ンスの手間を軽減できるでしょう。受験者数を変えようと思ったら、
たった一箇所の DATA_SIZE を修正すればいいからです。知識の重
複を避けることでエラーを防ぐことができ、メンテナンスの手間を
軽減できる。これが DRY から得られるメリットです。

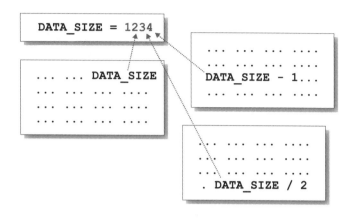

信頼できる唯一の表現を持つ様子

　試験の点数がファイルから与えられるなら、DRY をさらに進めることができます。ファイルに含まれるレコード数で「受験者数」が自動的に決定できるからです。つまり、プログラマが DATA_SIZE を手で修正するのではなく、与えられたファイルのレコード数を元にして DATA_SIZE の値が自動的に定まるようにプログラムを組むのです。この場合、受験者数が変わっても、プログラマがソースコード中の DATA_SIZE を修正する必要はなくなります。

　別の例として、Ruby on Rails で使われている **ActiveRecord** というクラスがあります。ActiveRecord を使うと、DB スキーマとモデルとの対応関係が自動的に作られるため、プログラマが対応付けの整合性を保つコードを書く必要はなくなります。

　プログラムでよく起きるトラブルに、コピー＆ペーストをしたことによるコードの重複があります。DRY にあてはめるなら、複数箇所で同じような処理を実行したい場合には、**その共通処理をまとめる**べきでしょう。似た処理が散らばるのは知識の重複で、似た処理を一つにまとめるのは信頼できる唯一の表現を作っていることに

なります。

　DRYはプログラムだけに適用できる原則ではありません。複雑に絡み合った知識を表現したものならば、どんなものにも当てはまります。たとえば、設計図、技術文書、Webサイト、マニュアル、価格表……複数箇所で同じ知識が必要になった場合、それらを個別に書いてはいけません。知識の重複となり、個別にメンテナンスする必要が生まれるからです。

DRYが有効にならない場合

　DRYは知識の重複から生まれる矛盾や、メンテナンスの困難を解決します。しかし、DRYは万能ではありません。信頼できる唯一の表現から、必要な知識が自動的に生成されなければ意味がありませんから、そもそも**自動化が不可能なシステム**では、DRYを適用することは難しいでしょう。

　エラーチェックの場面では、DRYの適用を注意深く行う必要があります。知識の重複という**冗長性があるからこそ、エラーチェックが可能になる**からです。たとえば、ファイルのレコード数をそのまま受験者数と見なした場合、レコードが欠落するエラーを検出することはできません。冗長なデータであっても「受験者数」を別途用意しておかないと、レコード数と付き合わせたエラーチェックは難しくなります。

　DRYを保つためには、システム内にある**知識の依存関係**を理解する必要があります。知識の依存関係をたどっていき、信頼できる唯一の表現として何を使うべきかを明確にしなくてはなりません。信頼できる唯一の表現を探し出すのが難しいシステムでは、DRYを適用するための労力が異常に高くなる可能性もあります。

日常生活とDRY

　日常生活でDRYが必要になる場合はあるでしょうか。

　予定表はDRYでないとたいへんですね。たとえば、いつも持ち

歩いている手帳に書いてある予定表と、壁に貼ってあるカレンダー
に書かれた予定表に矛盾が起きるのはよくあることです。これは二
つの予定表という知識の重複が存在するからです。現代ではクラ
ウドを利用した予定表が一般的になったので、PC でも、スマート
フォンでも、一元化された予定表を使えるようになりました。

　組織の指示系統は DRY でないと混乱を生む場合があります。作
業者が行う作業について、直接の上司が「作業 A を優先して」と指
示を出しているのに、社長が「緊急の作業 B を優先！」と指示を出
してはいけません。各作業者ごとに、信頼できる唯一の指示者がな
いと混乱が生じますね。

あなたも、考えてみましょう

　あなたのまわりを見回して、同じことを表す複数の知識がない
かどうか探してみましょう。

- 複数の知識が矛盾してトラブルになることはありませんか。
- 一つの知識から他方を自動的に作ることはできませんか。
- 複数の知識の依存関係を整理することはできませんか。

ぜひ、考えてみてください。

第10章
機械学習と人工知能

この章では、**機械学習と人工知能**のキーワードを紹介します。

● **レコメンデーション**は機械学習の基本的な応用です。データを
どのように活用して、オススメを生んでいるのでしょうか。

● 機械学習の分野では**過学習**が問題になります。与えられた問題
を学習しすぎることで、かえって成績が悪くなることがあるの
です。

● 「機械は考えることができるか」のような抽象的な問いは、答
えることが難しいものです。**チューリングテスト**では、それを
検証可能な問いに変換しています。その発想を探りましょう。

10.1 レコメンデーション
——多数のデータがオススメを生む

> ネットショップにログインすると「あなたへのオススメの商品」が表示されます。あなたがこれまで買った多数の商品を元にして、ネットショップというシステムが**レコメンデーション**をしてきたのです。

レコメンデーションとは

　レコメンデーション（recommendation）とは、**多数のデータを元に、ユーザに対してシステムが特定の対象をオススメしてくること**です。レコメンデーションとは英語で「推薦」という意味です。

　現代ではさまざまなところでレコメンデーションが活用されているといえます。いくつか例を挙げてみましょう。

- ネットショップにログインすると「あなたにオススメの商品」が表示される。
- 利用している Web サービスから「こんな商品はいかがですか」とダイレクトメールが来る。
- 動画を見終えた後「次はこちらの動画をどうぞ」と誘導される。
- SNS では「こんなユーザをフォローしてはどうでしょう」と提示される。

　これらはすべてレコメンデーションを行うシステムの働き、すなわち**レコメンダー**の働きです。

レコメンデーションの仕組み

　レコメンデーションの仕組みを簡単に説明しましょう。

　ネットショップのレコメンダーは、多数の商品からユーザが購入しそうな一部の商品を選んで提示します。このように、多数のものから一部を絞り込んで提示する処理は一般に**フィルタリング**といいます。

　レコメンダーが使うフィルタリングの一つ、**協調フィルタリング**は次のように動いてあなたに商品をオススメします。

- まず、あなたがこれまでに**買った商品**を調べます。これには、あなたの購入履歴を使います。
- それから、あなたが買ったものと**同じ商品を買った他のユーザ**を見つけます。これには、ユーザ一覧と各ユーザの購入履歴を使います。
- そして最後に、あなたの購入履歴と他のユーザの購入履歴とを照らし合わせ、他のユーザが買った商品の中で、あなたが**まだ買っていない商品**を見つけ、それをオススメします。

これは、あたかも他のユーザたちが協調して「私たちが買った商品と同じ商品も気に入るはずだ」とオススメ商品を教えてくれるかのような処理といえます。これが協調フィルタリングです。

　このようなレコメンダーを実現するためには、ユーザの購入履歴という巨大な表データが必要になります。その表データを用い、購入した商品によってユーザを特徴付けて類似度を判定し、あなたに類似した購入を行うユーザを見つけます。それは、ユーザ間の相関分析という統計処理を行っているともいえるでしょう。

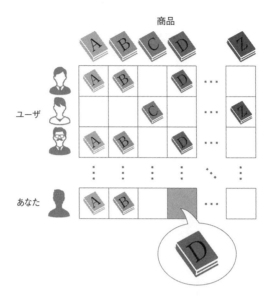

協調フィルタリングによるレコメンデーションのイメージ

　協調フィルタリングによるレコメンデーションの背後には「**同じ商品を購入したことがあるユーザ同士は、新たに同じ商品を購入する可能性が高い**」という発想があります。身も蓋もありませんね。

　自分が何かを購入するときには、思い入れや哲学や嗜好があるんだぞと言いたくなりますが、レコメンデーションでは実際に購入した商品のみでユーザを特徴付けます。つまり、レコメンダーは「ユーザが購入した商品のみがすべてを語る」と考えているのです。

　レコメンダーが有効に働くのは、多数の商品とユーザがいて、どのユーザがどの商品を選んだかという関係を処理できるからです。レコメンダーが実現可能になったのは、コンピュータの計算能力が発達したからであり、またインターネットによって購買行動のデータが入手できるようになったからでしょう。レコメンデーションは、**機械学習**の代表的な応用です。

　なお、協調フィルタリングとは別に**内容ベースフィルタリング**というフィルタリングもあります。こちらは商品そのものに属性が付与されており、その属性を使って、過去に購入された商品と類似の商品をオススメする方法です。たとえば、過去に観た映画と同じ監督の映画をオススメするのは単純な内容ベースフィルタリングです。協調フィルタリングとは異なり、内容ベースフィルタリングはユーザが少数であっても有効に働きます。

日常生活とレコメンデーション

　日常生活でレコメンデーションに相当することはもちろんたくさんあります。でも、機械学習を用いたレコメンデーションの発想に立つと、新たな発見があります。

　筆者はしばしば「数学を勉強する本を紹介してください」という質問メールを受け取ることがあります。つまり、オススメは何ですかという**個人的な推薦**を求められているわけですね。知人から質問されたならばいざ知らず、知らない人から質問されても答えられません。なぜなら、質問者がどんな勉強をしていて、これからどんな勉強をしようとしているのかさっぱりわからないからです。これはレコメンデーションが膨大なデータを必要としていることからもよくわかります。自分に関する情報を開示せずに、効果的な推薦を受け取るのは難しいといえるでしょう。逆に考えると「**自分によく当てはまる情報を相手から得たいと思うなら、自分に関する情報を適切に相手に開示する必要がある**」といえます。

　ネット上のサービスにはレコメンデーションがありますが、たとえば「自分の**キャリアパス**を考える上で現在取るべき行動は何か」のような大きなくくりになると、レコメンデーションは難しそうです。でも、よく考えてみますと会社の同僚と情報交換をしたり、自分の**ロールモデル**となるような人を見つけたりするのは、自分が行うべき行動のレコメンデーションを自分自身で作ろうとしているといえます。自分と類似の属性を持つ人を探し、その人は行っている

のに自分がやっていないことをチェックするわけですから。そう考えると「自分の属性に近い人にたくさん出会うことは、適切な判断をする上で重要」といえそうです。

あなたも、考えてみましょう

あなたのまわりを見回して、自分の情報や属性を他人と比較して参考にする状況を探してみましょう。

● その際に、情報や属性を適切に抽出しているでしょうか。
● また、十分多くの人数を参考にしているでしょうか。
● さらに、自分が過去に行った行動を参考にしているでしょうか。

ぜひ、考えてみてください。

10.2　過学習
——適応しすぎは失敗のもと

　教えられたことをしっかり学ぶのはいいと考えがちですが、実はそうとは限りません。**過学習**になってしまったら逆効果だからです。

過学習とは

　過学習とは、機械学習の用語で、**教師データに過剰適応してしまったために、教師データ以外での成績が悪くなった状態**のことです。

　まず、機械学習における「教師あり学習」を簡単に説明します。学習するプログラムは内部に多数のパラメータ（変数）を持っています。そして、**教師データ**と呼ばれるデータをそのプログラムに多数与えて、パラメータを調整します。教師データとは「この入力に対してはこの出力が正解である」というデータです。

　「教師あり学習」における学習とは、教師データとして与えられた「正解」を使い、できるだけ「正解」に近い答えを出すようにパラメータを調整することです。

　ここで非常に大事になるのは、教師データのような既知のデータではなく、与えられたことのない未知のデータを与えられたとしても、プログラムが「正解」に近い答えを出してくれることです。プログラムに期待するそのような能力を**汎化能力**といいます。汎化能力というのは、一言でいえば「つぶしが効く」能力です。

　機械学習で用いられるデータは、教師データとテストデータの二種類があります。

教師データ　プログラムの学習に用いるデータ
テストデータ　汎化能力を持っているかを検査するために用いる
　　　　　　　　データ

教師データでは成績が良いのに、テストデータでは成績が悪いというのは、汎化能力が低いことを意味します。それは、教師データに過剰適応した**過学習**が起きている可能性があるということです。

　教師データで過学習した状態のイメージを以下の図に示します。●が教師データで、□がテストデータです。対応関係を再現するためのモデルを曲線で表現しています。教師データ●に対してはかなりいい「正解」を出しますが、テストデータ□に対しては曲線が大きく外れてしまいます。これは、曲線を教師データにむりやり合わせているからです。

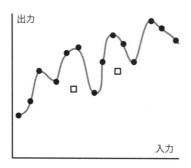

教師データで過学習した状態のイメージ

　単純なモデルで過学習を避けた状態のイメージを以下の図に示します。教師データ●に対しても、テストデータ□に対しても、そこそこの「正解」を出しています。

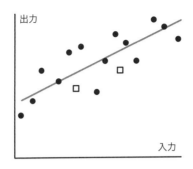

出力

入力

単純なモデルで過学習を避けた状態のイメージ

過学習の原因と対策

　過学習が起きる原因の一つに**長すぎる学習時間**があります。「長い時間を掛けてパラメータを調整すれば、成績は良くなるだろう」ということ自体はまちがっていません。問題は、長い時間を掛けることによって、与えられた教師データの偏りまでを学習してしまう点にあります。教師データとして与えられた情報がたまたま持っていた特性までパラメータに反映されてしまうことで、未知のテストデータが与えられたときに正しい結果を出せなくなってしまうのです。

　学習時間の長さを調べるためには、教師データとテストデータの両方の成績を比べることが必要です。学習につれてテストデータでの成績が悪くなっていくようなら、学習時間が長すぎる恐れがあります。

　また、過学習の原因として、プログラムの**高すぎる自由度**もあります。「パラメータをたくさん持たせて自由度を高くすれば、どんな状況でも表せるようになるだろう」ということ自体はまちがっていません。しかし、自由度が高すぎるために、与えられた教師データの細かい偏りまでパラメータに反映されてしまう危険性があるのです。

　自由度が高すぎることに対して、正則化と呼ばれる対策が取られることがあります。これはパラメータを調整するための評価関数の中に、パラメータの複雑さという要素を加味する方法です。

日常生活と過学習

　日常生活でも過学習に相当する現象はよく見かけます。たとえば、**定期試験では点数が良いのに実力テストでは点数が悪い**という状況です。授業で学んだ例題ならば完璧に解けるのに、出題のパターンをちょっと変えたらまったく解けないとしたら、汎化能力が低い学び方をしているといえそうです。例題を通して学ぶべき概念を身につけず、例題のパターンだけを学習している状態は過学習に相当します。

　あるいはまた、**社内だけで通用する技術に熟達した技術者**も過学習に似ています。技術者が、自分の勤務している会社しか見ておらず、自社内の技術に過剰適応してしまった状態です。社内の技術には精通しているけれど、社外ではまったく通用しない技術を身につけてしまうのは、技術者にとって危険な傾向です。時代が変わったり、勤務先が変わったりしたとたんに自分の持っている技術が役に立たなくなってしまうからです。まさに「つぶしが効かない」状態です。

　長すぎる学習時間から過学習が生まれるように、社内だけで通用する技術に熟達する技術者も、特定環境に長期間浸かることから生まれるのでしょうね。教師データとテストデータを分けたように、社外の人との交流などを通して、自分の技術が汎化能力を持っているかどうか調べることは有益でしょう。

　体調が悪いときに**対処療法**を繰り返すのも過学習に似ています。対処療法とは、頭痛がするので頭痛薬を飲み、身体が重いからこのサプリを飲み、元気が出ないのでエナジードリンクを飲み……のように、症状に対して個別の対処を行うことです。これはパラメータを複雑にして対処しているようなもので、個々の症状には効いてい

るかもしれませんが、新しい症状には対処できません。あまりにも多数の症状が出ているときには、すべての症状は「睡眠不足」から来ていたというような根本原因を見つけることの方が大切でしょう。

あなたも、考えてみましょう

あなたのまわりを見回して、がんばって学習している状況を探してみましょう。

- 与えられたデータや環境に対して過学習している状況はないでしょうか。
- 対処療法を繰り返してはいないでしょうか。
- 「つぶしが効かない」状況に陥ってはいないでしょうか。

ぜひ、考えてみてください。

10.3 チューリングテスト
——検証できる問いへ変換する

> 「機械は考えることができるか」という難しい問いを考えるとき、いつも**チューリングテスト**という思考実験が話題に上ります。チューリングテストとはいったいどんなものでしょうか。そこに示されている大切な発想を探ってみましょう。

チューリングテストとは

チューリングテスト（Turing test）とは、数学者アラン・チューリングが提唱したテストで、**「機械は考えることができるか」**という解答困難な問いを、検証できる問いに変換したものです。

「機械は考えることができるか」というのはとても難しい問いです。答えるのが難しいというだけではなく、そもそもこの問いが何を意味しているかを定義するのが難しいからです。

「考える」という言葉が持っている意味の広さや曖昧さを思うなら、確かに「機械は考えることができるか」という問いは難しいですね。

そこで、「機械に何ができたならば、考えることができたといえるのか」のように問いを変換してみましょう。そうすると、少し考えやすくなります。

```
「機械は考えることができるか」
```

↓変換

```
「機械に何ができたならば、
　考えることができたといえるのか」
```

　チューリングは、"Computing Machinery and Intelligence"とい
う論文の中で、「機械」や「考える」の定義を行うのはやめて「機
械は考えることができるか」の言い換えを行っています。そのとき
にチューリングが提示したのが**イミテーション・ゲーム**（模倣ゲー
ム）という思考実験です。

イミテーション・ゲーム

　イミテーション・ゲームの概要は次の通りです。

- 登場人物は、男性Aと女性Bと質問者Cの三人です。
- 三人はそれぞれ別室に入ります。
- 「AとC」ならびに「BとC」は文字だけの通信ができます。質
  問者Cは通信相手のどちらが男性Aでどちらが女性Bかを知
  りませんが、二人のどちらとも通信でコミュニケーションを取
  ることができます。また、通信相手の二人は男性と女性である
  ことを知っています。

男性Aが女性のふりをするイミテーション・ゲーム

そして、男性Aと女性Bと質問者Cには異なる目的が与えられます。

- 男性Aの目的は、自分が女性であると質問者Cに誤認させること。
- 女性Bの目的は、自分が女性であると質問者Cに信じてもらうこと。
- 質問者Cの目的は、通信相手の性別を判定すること。

男性が女性を模倣するのでイミテーション・ゲーム（模倣ゲーム）というわけです。

男性Aを機械で置き換える

さて、このようなイミテーション・ゲームにおいて、チューリングは「男性Aの役目を機械で置き換えたらどうなるか」と問います。そして、「機械は考えることができるか」という問いを「男性Aの役目を機械で置き換えた場合、人間がイミテーション・ゲームを行った場合と同じくらい、質問者Cは判定を誤るだろうか」という問いに変換します。

> 「機械は考えることができるか」

↓変換

> 「男性Aの役目を機械で置き換えた場合、
> 人間がイミテーション・ゲームを行った場合と同じくらい、
> 質問者Cは判定を誤るだろうか」

イミテーション・ゲームの男性Aを機械で置き換えたもの、これがチューリングテストです。

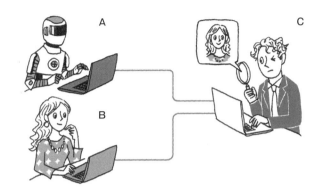

イミテーション・ゲームの男性Aを機械で置き換える

　もしもあなたがチューリングテストのことをいま初めて知ったなら、神学的反論、数学的反論、意識の有無、個別能力の有無、新規発想の欠如、脳と神経からの反論など、たくさんの疑問や反論が浮かぶと思います。

　チューリングの論文では、その疑問の多くに対して答えを与えています。原文[*1]や日本語訳[*2]はWebで読めますので、詳細はそちらを参照してください。

　2015年に公開されたSFスリラー映画『エクス・マキナ』では、エイヴァと呼ばれるロボットが、プログラマのケイレブを相手に変形されたチューリングテストを行うシーンが登場します。ケイレブはガラスごしにエイヴァと対話を行い、エイヴァが人間のように思考しているかを問われるのです。

検証できる形に問いを変換する

　チューリングテストで最も注目すべき点は「問いの変換」にあり

[*1]　https://academic.oup.com/mind/article/LIX/236/433/986238
[*2]　http://www.unixuser.org/%7Eeuske/doc/turing-ja/index.html

ます。「機械は考えることができるか」という問いに正面から答えようとすると、ややこしい論争に巻き込まれ、そして結局はどこにも行き着かない可能性が高いでしょう。「考える」という言葉の定義だけでも簡単な結論が出るとは思えません。

チューリングは、チューリングテストによって問いの変換を行いました。**答えるのが困難な問いを、検証できる形に変換したのです。**

チューリングテストは深い問いをたくさん生み出しています。たとえば「イミテーション・ゲームで質問者Cをうまく惑わせる機械ができたとしても、それは単に、人間を模倣できる機械ができたにすぎない。機械が考える証拠にはならないのではないか」と疑問に思う人もいるでしょう。

でも、よく考えてみますと、私たちはふだんたくさんの人とネットごしにテキストだけでやりとりをしています。それはまさに、日々イミテーション・ゲームと同じ舞台に立っているようなものです。通信相手に関して、人間判定、性別判定、能力判定、信頼度判定……たくさんの判定作業を行っています。もしも、人間を模倣できるほどの機械が「考えることができていない」というならば、実は人間もまた同じ意味で「考えることができていない」といえるのではないでしょうか。

日常生活とチューリングテスト

チューリングテストにまつわる事象は、私たちの生活のあちこちで見つかります。

チューリングテストでは、**見た目**に影響されないようにコミュニケーションを文字だけに制限していました。実際、私たちは想像以上に見た目に影響されている可能性はあります。性別を隠した試験では男女で差がないのに、性別を明らかにした試験では男性が優位になっていると主張する人がいます。企業の採用試験で性別が影響しているのではないかという研究をしている人もいるようです。その真偽はわかりませんが、人間同士のやりとりというのは非常に複

雑なものですから、試験官がその自覚なく見た目の性差に影響を受けていることがあってもおかしくはないでしょう。

消費者金融の自動契約機では、背後に人が存在しているにもかかわらず、あたかも無人で処理しているように見せています。これは恐らく、人間ではないものが処理していると見せることで、ユーザの心理的抵抗を減らしているのでしょう。これは、いわば人間が機械のふりをしているわけですから、逆向きのチューリングテストといえるかもしれませんね。

入学試験のような**選抜試験**について考えてみましょう。試験は人格を測定しているわけではありません。そのときに試験としてたまたま出された問題において、他の人よりも多く得点できた人を選んでいるわけです。定義が困難な「入学するにふさわしい人は誰か」という問いを、「試験で多く得点できた人を選択する」という検証できる問いに変換しているといえます。

「機械は考えることができるか」は答えるのが難しい問いです。その答えがどうであれ、現代は「人間でなければできなかったこと」がどんどん機械に置き換わっている時代です。もう一度チューリングテストが持つ意味について深く考える価値はあるでしょう。

あなたも、考えてみましょう

あなたのまわりを見回して、答えるのが困難な問いを探してみましょう。

- その問いは、そもそも用語の定義が困難ではありませんか。
- その問いを、検証できる別の問いに変換することはできませんか。
- 「どんな答えなら、その問いに答えたことになるか」という発想に立つことはできませんか。

ぜひ、考えてみてください。

索　引

本書をお読みいただいたご意見、ご感想を以下のURLにお寄せください。

 https://isbn.sbcr.jp/95310/

再発見の発想法
さいはっけん　はっそうほう

2021年3月1日　初版発行

著　者：結城　浩
　　　　ゆうき　ひろし
発行者：小川　淳
発行所：SBクリエイティブ株式会社
　　　　〒106-0032　東京都港区六本木2-4-5
　　　　　　　　営業　03(5549)1201
　　　　　　　　編集　03(5549)1234
組　版：スタヂオ・ポップ
印　刷：中央精版印刷株式会社

装　丁：米谷テツヤ
カバー・本文イラスト（p.39, p.42, p.131, p.146, p.195, p.197）
　　　　：大塚砂織

落丁本、乱丁本は小社営業部にてお取り替え致します。
定価はカバーに記載されています。

Printed in Japan　　　　　　　　ISBN978-4-7973-9531-0